JN048752

旅好家と
めぐる

日本183村

前編

川合宣雄 著

はじめに

　これは私の造語ですが、旅好家だから懐具合に余裕のあるときに限って旅心に誘われて放浪の旅に出たりもするのです。若い頃は海外を自由気ままに歩き回ったりもしたのですが、もう体力も精力も衰え、なんといっても食が細くなったので、お金をかけてわざわざ外国に行く必然性もなくなりました。

　そうなると国内旅行となるのですが、当てもなしに歩き回るにはエネルギー不足で、やはり何かテーマ性がほしいとなったとき、日本の村めぐりはどうだろうかとひらめきました。

　その気になって調べてみると、行政上の日本の村は183あるそうで、これが多いのか少ないのかはわかりませんが、なんとなくそそられる数字ではあります。

　いま現在、手元にある資料では、村の数がひとつの府県は12だそうです。ちなみに県内に村がない県は13で、あとの都道府県には複数の村があるのです。中でも長野県は35村とずば抜けて多く、次いで沖縄に19村、北海道と福島県が15村で続いている状況です。

　というわけで日本にある全村を踏破するという目標は立ったのですが、ただエッセイにまとめただけではインパクトが弱く、同時に証拠になるような写真も欲しいとなったとき、各村に必ずあるのは村役場じゃな

3

いかと思い当たりました。そこでその村を訪れた証拠として村役場写真を撮るようにして、最終的にまとまった形になったのが本作です。

　ルポルタージュだかエッセイだか写真集だかわからないという批判は甘んじて受けますが、切り口としては今までになかった本だということだけは自信を持って言い切れます。

　というわけで、さっそく取材旅行に出かけることにしますが、本文の途中でいきなりゴチック体で出てくる部分は、観光パンフレットをそのまま転載したものですから、私に文責はありませんし、村役場所在地を示す緯度経度と面積・人口はウイキペディアの「日本の地方公共団体一覧」から、財政力指数は「都道府県・市町村ランキングサイト　日本☆地域番付」から引用したものだと言い添えておきます。

2023年12月

川合 宣雄

目次

はじめに ……………………………………………………… 3

第1章　愛知県　富山県　岐阜県　新潟県　福島県

愛知県北設楽郡豊根村 ……………………… 12

愛知県海部郡飛島村 ………………………… 15

富山県中新川郡舟橋村 ……………………… 17

岐阜県大野郡白川村 ………………………… 20

新潟県西蒲原郡弥彦村 ……………………… 23

新潟県岩船郡関川村 ………………………… 25

新潟県岩船郡粟島浦村 ……………………… 28

新潟県刈羽郡刈羽村 ………………………… 30

福島県安達郡大玉村 ………………………… 32

◆**番外エッセイ** 外国の見所その1 ………… 35

福島県相馬郡飯舘村 ………………………… 36

福島県双葉郡葛尾村 ………………………… 40

福島県双葉郡川内村 ………………………… 41

福島県石川郡平田村 ………………………… 43

福島県石川郡玉川村 ………………………… 44

福島県東白川郡鮫川村 ……………………… 46

福島県西白河郡中島村 ……………………… 48

福島県西白河郡泉崎村 ……………………… 49

福島県岩瀬郡天栄村 ・・・・・・・・・・・・・・・・・・・・・ 51

福島県西白河郡西郷村 ・・・・・・・・・・・・・・・・・・ 52

◆番外エッセイ 自転車で奥の細道 ・・・・・・・・・ 55

福島県南会津郡桧枝岐村 ・・・・・・・・・・・・・・・・ 57

福島県大沼郡昭和村 ・・・・・・・・・・・・・・・・・・・・・ 59

福島県河沼郡湯川村 ・・・・・・・・・・・・・・・・・・・・・ 61

福島県耶麻郡北塩原村 ・・・・・・・・・・・・・・・・・・ 63

◆番外エッセイ 沖縄には飛行機で ・・・・・・・・・・ 65

第2章　沖縄県　鹿児島県

沖縄県島尻郡渡嘉敷村 ・・・・・・・・・・・・・・・・・・ 68

沖縄県中頭郡北中城村 ・・・・・・・・・・・・・・・・・・ 70

沖縄県中頭郡中城村 ・・・・・・・・・・・・・・・・・・・・・ 72

沖縄県国頭郡伊江村 ・・・・・・・・・・・・・・・・・・・・・ 74

沖縄県国頭郡今帰仁村 ・・・・・・・・・・・・・・・・・・ 77

沖縄県島尻郡伊平屋村 ・・・・・・・・・・・・・・・・・・ 80

沖縄県島尻郡伊是名村 ・・・・・・・・・・・・・・・・・・ 82

沖縄県国頭郡大宜味村 ・・・・・・・・・・・・・・・・・・ 84

沖縄県国頭郡国頭村 ・・・・・・・・・・・・・・・・・・・・・ 85

沖縄県国頭郡東村 ・・・・・・・・・・・・・・・・・・・・・・・・ 87

沖縄県国頭郡宜野座村 ・・・・・・・・・・・・・・・・・・ 90

沖縄県国頭郡恩納村 ・・・・・・・・・・・・・・・・・・・・・ 93

沖縄県島尻郡粟国村 ・・・・・・・・・・・・・・・・・・・・・・ 94

沖縄県宮古郡多良間村 ・・・・・・・・・・・・・・・・・・ 97

沖縄県島尻郡渡名喜村 ・・・・・・・・・・・・・・・・ 102

沖縄県中頭郡読谷村 ・・・・・・・・・・・・・・・・・・・・ 106

沖縄県島尻郡北大東村 ・・・・・・・・・・・・・・・・ 108

沖縄県島尻郡南大東村 ・・・・・・・・・・・・・・・・ 113

沖縄県島尻郡座間味村 ・・・・・・・・・・・・・・・・ 117

◆番外エッセイ 勝手に沖縄ナンバーワン ・・・・・・ 119

鹿児島県大島郡宇検村 ・・・・・・・・・・・・・・・・ 123

鹿児島県大島郡大和村 ・・・・・・・・・・・・・・・・ 127

第3章 北海道

北海道虻田郡留寿都村 ・・・・・・・・・・・・・・・・ 130

北海道虻田郡真狩村 ・・・・・・・・・・・・・・・・・・・・ 132

北海道島牧郡島牧村 ・・・・・・・・・・・・・・・・・・・・ 134

北海道国後郡泊村 ・・・・・・・・・・・・・・・・・・・・・・ 136

北海道古宇郡神恵内村 ・・・・・・・・・・・・・・・・ 137

北海道余市郡赤井川村 ・・・・・・・・・・・・・・・・ 138

◆番外エッセイ スキーは楽し ・・・・・・・・・・・・ 139

北海道石狩郡新篠津村 ・・・・・・・・・・・・・・・・ 141

北海道苫前郡初山別村 ・・・・・・・・・・・・・・・・ 142

北海道中川郡音威子府村 ・・・・・・・・・・・・・・ 145

北海道宗谷郡猿払村 ・・・・・・・・・・・・・・・・・・・・・ 146

北海道紋別郡西興部村 ・・・・・・・・・・・・・・・・ 148

北海道阿寒郡鶴居村 ・・・・・・・・・・・・・・・・・・・・ 149

北海道河西郡更別村 ・・・・・・・・・・・・・・・・・・・・ 151

北海道河西郡中札内村 ・・・・・・・・・・・・・・・・ 153

北海道勇払郡占冠村 ・・・・・・・・・・・・・・・・・・・・ 154

◆番外エッセイ　雄大な景色と言えば ・・・・・・・ 156

第4章	島根県　鳥取県　岡山県　京都府 奈良県　大阪府　和歌山県

島根県隠岐郡知夫村 ・・・・・・・・・・・・・・・・・・・・・・ 160

鳥取県西伯郡日吉津村 ・・・・・・・・・・・・・・・・ 162

岡山県真庭郡新庄村 ・・・・・・・・・・・・・・・・・・・・ 164

岡山県英田郡西粟倉村 ・・・・・・・・・・・・・・・・ 166

◆番外エッセイ　腑に落ちる忠臣蔵 ・・・・・・・・ 168

京都府相楽郡南山城村 ・・・・・・・・・・・・・・・・ 169

奈良県山辺郡山添村 ・・・・・・・・・・・・・・・・・・・・ 171

奈良県宇陀郡曽爾村 ・・・・・・・・・・・・・・・・・・・・ 172

奈良県宇陀郡御杖村 ・・・・・・・・・・・・・・・・・・・・ 174

◆番外エッセイ　然るべく善人たるべし ・・・・・・ 176

奈良県高市郡明日香村 ・・・・・・・・・・・・・・・・ 177

奈良県吉野郡東吉野村 ・・・・・・・・・・・・・・・・ 179

奈良県吉野郡川上村 ・・・・・・・・・・・・・・・・・・・・ 180

奈良県吉野郡黒滝村 ・・・・・・・・・・・・・・・・・・・・ 182

奈良県吉野郡天川村 ・・・・・・・・・・・・・・・・・・・・ 185

奈良県吉野郡野迫川村 ・・・・・・・・・・・・・・・・・・・・ 187

奈良県吉野郡十津川村 ・・・・・・・・・・・・・・・・・・・・ 189

奈良県吉野郡下北山村 ・・・・・・・・・・・・・・・・・・・・ 191

奈良県吉野郡上北山村 ・・・・・・・・・・・・・・・・・・・・ 193

大阪府南河内郡千早赤阪村 ・・・・・・・・・・・・・・・・・・ 195

和歌山県東牟婁郡北山村 ・・・・・・・・・・・・・・・・・・ 197

◆番外エッセイ 古き良き京都よ ・・・・・・・・・・ 199

第 5 章 山形県　秋田県　青森県　岩手県　宮城県

山形県最上郡大蔵村 ・・・・・・・・・・・・・・・・・・・・ 202

山形県戸沢郡戸沢村 ・・・・・・・・・・・・・・・・・・・・ 204

山形県最上郡鮭川村 ・・・・・・・・・・・・・・・・・・・・ 205

秋田県雄勝郡東成瀬村 ・・・・・・・・・・・・・・・・・・・・ 207

秋田県南秋田郡大潟村 ・・・・・・・・・・・・・・・・・・・・ 208

秋田県北秋田郡上小阿仁村 ・・・・・・・・・・・・・・・・・ 210

青森県南津軽郡田舎館村 ・・・・・・・・・・・・・・・・・ 212

青森県中津軽郡西目屋村 ・・・・・・・・・・・・・・・・・ 213

青森県東津軽郡蓬田村 ・・・・・・・・・・・・・・・・・・・ 215

青森県下北郡佐井村 ・・・・・・・・・・・・・・・・・・・・ 217

青森県下北郡風間浦村 ・・・・・・・・・・・・・・・・・・・ 219

青森県下北郡東通村 ・・・・・・・・・・・・・・・・・・・・ 220

青森県上北郡六ヶ所村 ····················· 222

青森県三戸郡新郷村 ······················· 224

岩手県九戸郡九戸村 ······················· 227

岩手県九戸郡野田村 ······················· 229

岩手県下閉伊郡普代村 ····················· 231

岩手県下閉伊郡田野畑村 ··················· 233

宮城県黒川郡大衡村 ······················· 235

第 **6** 章　**埼玉県　千葉県　茨城県**
　　　　　群馬県　長野県

埼玉県秩父郡東秩父村 ····················· 238

◆番外エッセイ　自転車のこと ············· 241

千葉県長生郡長生村 ······················· 243

茨城県稲敷郡美浦村 ······················· 247

茨城県那珂郡東海村 ······················· 249

群馬県甘楽郡南牧村 ······················· 250

群馬県多野郡上野村 ······················· 252

長野県南佐久郡北相木村 ··················· 254

長野県南佐久郡南相木村 ··················· 256

長野県南佐久郡南牧村 ····················· 258

長野県南佐久郡川上村 ····················· 260

長野県諏訪郡原村 ························· 262

あとがき ··································· 264

──「前編」日本108村 ──

第 1 章

愛知県　富山県　岐阜県
新潟県　福島県

愛知県北設楽郡豊根村 とよねむら

北緯35度08分47秒　東経137度43分11秒
面積156㎢　村人925人　財政力指数0.26

　記念すべき最初の村は、愛知県西部の豊根村です。

　アクセスとしては、JR飯田線の東栄駅から1日2本のバスで行くか（東栄駅から豊根村の湯〜ランドパルとよねまで約1時間の料金が、たったの300円とパンフレットには載っているが、もしもそうだとすれば、おそらく日本国内では最安に近い料金かとも思われるものの、便数と最新料金は確認の要あり）、さもなければ同じ飯田線の大嵐（おおぞれ）から村営バスで入るかですが、かなり広い村ですから、入ってからの動きがまったくとれないおそれがあります。

　自転車で走るにはアップダウンがきつく、やはり自動車がよいでしょう。ただし、大人数だったら清水館

という旅館から送迎バスもきますから、ただ宴会をして1日茶臼山で遊ぶのだったら東栄駅もありかなと思います。

　私はたまたま車で行ったのでほぼ全域を踏破しました。そこで私なりのベスト3を

なんと言っても佐久間ダム

　私らが使った教科書には、ダムといえば佐久間ダムが出てきたものです。それくらいだから是非とも行ってみたい場所の筆頭だったのですが、ここが実に行きにくいのです。

　吸収合併される以前は日本で一番小さな村だった富山から南に下るのですが、心配になるくらい遠くて、途中のいくつもあるトンネルが真っ暗で曲がっていて怖くて、なるべくなら仲間と一緒の方がよいと思いました。

　それでも教科書に載るくらいの大規模なダムですから、感激しましたが、感激しない人もいるかも知れません。その後の予定にもからんできますが、ふたたび豊根村に戻るよりも、浜松か豊橋方面に出てしまう方が動きやすいでしょう。

茶臼山高原も外せない

　冬はスキー場になるらしく、ファミリーや中級者く

第1章
第2章
第3章
第4章
第5章
第6章

らいまでのゲレンデと拝察しました。夏は遊具や小動物とたわむれるくらいしかなく、小さなお子さんづれだったら楽しいでしょう。芝桜の丘とか、恋人の聖地とかもありますから、お暇な向きには行ってみてもいいかも‥‥。

お祭り

　11月と正月の数日間、夕方から翌朝にかけて、いろんなグループが入れ替わり立ち替わり踊り続ける花祭りというめずらしい祭りがあるそうです。

　人間の魂や身体が最も衰える霜月の時季に、神仏を舞庭と呼ばれる祭場に、招き降ろし、村人が神仏と交遊して新しい自己に生まれ変わる再生の祭りです。子どもたちが愛らしく舞う「花の舞」、巨大な仮面の鬼が鉞をかざして舞う「山見鬼」「榊鬼」など、さまざまな舞が夜を徹して舞われます。

　というもので、場所は3カ所くらいに分散していますから、正確な場所や日付は確認してください。

　そのほかには「念仏踊り」や「御神楽祭り」などもあるそうですから、お祭り騒ぎがお好きな方はどうぞ。

　この他にも、ブルーベリー摘み取り園とか、ヤッホーやまびこポイント？　など、見所はいっぱいあって、とてもここでは紹介しきれません。とりあえず村役場または道の駅に行って、ガイドマップやお宿案内

を入手するのがよいでしょう。

愛知県海部郡飛島村（とびしまむら）
北緯35度04分44秒　東経136度47分28秒
面積22k㎡　村人4438人　財政力指数2.07

　今回の取材では、日本一面積の小さな舟橋村を訪れましたが、愛知県にふたつある村の内のひとつが、財政的に日本一ゆとりのある飛島村です。残り少なくなった青春18キップで名古屋まできた私は、近鉄線に乗って蟹江駅で降りました。

　ここから飛島村役場までバスで行くのですが、心配になるほど長く乗ったバス料金が拍子抜けするほど安かったのは、村から補助が出ているからです。

　財政的に余裕があるから、いわゆる箱物なども豪華で贅沢な造りになっているのですが、その数字を聞い

15

て驚きました。19年度には2.84、20年度は2.89、以後
2.55、2.32などという財政力指数が示されるのであっ
て、ほとんどのお役人さんはびっくりするのではない
でしょうか。だって村の支出に対して、その2倍以上
の収入があるのですから、びっくりを通りこして羨ま
しくなってしまうのでは‥‥。

　役場の人に尋ねてみたところ、直近の日本一につい
ては口を濁していましたから、どこか別の村がもっと
豊かになったのかも知れませんが、いずれにしても村
営が楽なことに変わりはありません。

　それでも悪いことをする人間はいるもので、31年度
2月のけいさつだよりによれば、空き巣が3、自転車盗
が2、車上ねらいが1、自販機荒らしが1などとなって
いまして、これだけの村でこの数字は、はたして多い
やら少ないやら。

　村役場前から、もうけの根拠ともなっている名古屋
港まで行こうとしましたが、とたんにバス料金が跳ね
上がると聞いて断念、補助金を使って近鉄蟹江駅まで
戻ってきました。

　今回の公共交通機関のみを使っての取材はこれでお
わりですが、唯一の心残りは青春18キップを一回分だ
け使い残してしまったことでして、平和といえば平和
ですねえ。

富山県中新川郡舟橋村
ふなはしむら

北緯36度42分13秒　東経137度18分26秒
面積3.47㎢　村人3184人　財政力指数0.35

　今回の村めぐりで、舟橋村はもっとも訪れてみたい場所の白眉でした。なぜなら日本で一番小さな村だからで、私は日本一とか世界一、あるいは世界最南端とか最北端なんて場所が好きなのです。

　その昔、城の堀に船を連ねて橋を架けたことに由来する越中舟橋駅で電車を降りるのですが、いやはや何とも、富山から宇奈月に向かう富山地方鉄道のスリリングなこと、並みのジェットコースターなんてものじゃありません。

　いつものように運転席のすぐ後ろから線路を見ていましたが、大きく上下して更には左右に波打っている様子が見てとれて、本当にこんなところを電車が走れ

るかと不安になりました。

　ところが一平民の不安なぞはどこ吹く風、ロートル電車が素敵なスピードを出して疾駆するではありませんか。体は揺れるわ、車体は悲鳴をあげるわの内にも、脱線しないかとの心配が大きくふくらんでいきます。嘘だと思う人は、一度ご自分で乗ってごらんなさい。決してオーバーな表現ではないと納得するでしょう。

　奇跡的に脱線もせずに越中舟橋駅に到着しましたが、ここには素晴らしい図書館が併設されていて、住民ひとりあたりの貸し出し冊数が32冊でこれまた日本一なのだそうです。

　村役場まで歩き、職員さんに話を伺いましたが、その中でも年少人口の割合が21.8パーセント（平成22年国勢調査による）で日本一という数字に興味を覚えました。これだけ高齢社会が叫ばれている今、15歳未満の人口比が2割を越えているのは驚異的で、そこには前人の並々ならぬ努力があったのです。

　以前の舟橋村は農業が主体のところで、村の全域が市街化調整区域に指定されていました。当然ながら農地に家を建てられるのは長男坊に限られているから、村が衰退の一途をたどるのは誰が考えても当たり前です。

　そこで村長さんが一念発起、調整除外を訴えて運動し、苦節8年をかけて市街化調整区域の適用を全村から外してもらったのです。そうしたところ、富山市

から近く、地価も相対的に安いということでベッドタウンとしての需要が高まり、村人の半数が転入者という事態になりました。

　ここからが舟橋村の偉いところで、これをコミュニティ問題ととらえ、精神的物理的に孤立する人を出さないために、行政サービスを手厚くすると共に、子育て共助の町にするために居場所造りを心がけ、参加型で交流型の舟橋村を作り上げていったのです。

　せっかく外から新たに住民を呼び込んでも、転入者が村八分にあって無視されたり、回覧板を回してもらえずに地域から疎外されて住みにくい思いをしている人がいっぱいいます。

　村としては住民を増やさなければ未来は開けないと思い込んでいるから、空き家を無料で提供したり優遇措置を取ったりもするのでしょうが、それが面白くないという従来からの住民もいたりして、この問題はとても難しい一面を持っています。そんなケースで、この舟橋村のやり方はとても参考になるのではないでしょうか。

　ちなみに舟橋村の面積は3.47平方kmで日本一小さな自治体なのですが、試みに東京ドームに対比させると74個分に当たるのであって、こうなると大きいのか小さいのかわからなくなってしまいますね。

岐阜県大野郡白川村
しらかわむら

北緯36度16分15秒　東経136度53分55秒
面積356km²　村人1430人　財政力指数0.31

　富山駅前のビジネスホテルで一泊、バスで白川郷に向かいました。いつもだと現地に着いてから宿の手配をするのですが、名にし負う名所の白川郷だけに、ゲストハウスケイに宿泊予約をしていたので安心、先に取材をします。

　さして大きくはないキャリーバッグを引いて里を見て回りましたが、ワンコインで荷物を預かるところがありますから、あまりにも重かったりかさばったりするのならBTの近くで預けてしまいましょう。

　白川郷の見聞録はさておき、外国人旅行者であふれかえるような状況に、思わず「ここは本当に日本なの？」なんて感慨を抱きました。だから早々に切り上げて村

第1章

第2章

第3章

第4章

第5章

第6章

役場に行きましたが、偶然にもそこはゲストハウスケイのすぐ近くだったので、早めにチェックインしてのんびりしました。

　大きなガラス戸から向かいの山が見えるのですが、新雪をまとった頂上付近には樹氷群が、まるで蔵王のようにみごとに展開して純白にきらめいているではありませんか。そんな崇高なまでに光り輝く樹氷を見ているうちに、目がかすんでいないことにも気づきましたが、やっぱり普段のパソコン作業がよっぽど目にはよくないのですね。

　やがて夕方になり、三々五々と宿泊者が来ますが、中国人とフランス人に占拠されたみたいな状況に、肩身が狭いような感じがしましたよ。最初は黙っていたのですが、その内に会話に引きずり込まれる形になり、そうなればどうしたってフランス語も混ぜての話になります。

　つい最近仏蘭西を訪れて、シェルブールにも行ったと言うと、どうしてそんな片田舎にとなり、当然ながら映画を観たからだとなりました。シェルブールという地名まで出ているのだから、パラプリュイとくればすぐに傘のことだとわかるはずなのに、仏蘭西おばさんがとぼけるのです。

　こちらはどこにRが入るのかわからないので、判然と区別はせずに発音したのですが、破裂音がふたつも入っているのですから、他の意味には取りようもな

いのに、マダムは何度も聞き返すのです。このやりとりを離れて聞いていたパリジェンヌが、たまらずに助け船を出してくれましたが、正しいフランス語に執着するあまり、ほんの少しの発音の違いまでやり玉に挙げてわからない振りをする昔気質の仏蘭西人だけは好きになれません。

　自分自身の名誉のために付け加えますが、私はRの発音が仏蘭西人に感心されるほど上手にできるのです。ただこの時は、どこにRが入るのかわからなかっただけであって、そんなにとぼけなくてもいいじゃありませんか。

　みんなが寝てしまったあとで、星空がきれいだという話になり、毛布をかぶって外に出ました。気温は氷点下寸前だとのことですが、あまり寒さを感じることもなく、天の川が山の向こうに沈んでしまったあとの満天の星を堪能しましたが、それがよくなかったのです。

　ベッドに入ってしばらくすると、何かおなかの中に冷えたものがあるのですが、それが胃袋を形をしているのです。寒さに強いと思い違いをして、長いこと外にいた影響が今頃になってから出てきて、尾籠な話ですが、おなかを壊してしまいました。何度も夜中のトイレに行ったのですが、不幸中の幸いというか、暖かなトイレに温水便座で本当によかったと思いましたよ。

　抗生物質も持っていたので白湯で飲んだのもよかったのか、朝にはすっかり回復して、高山行きのバスに

乗ることもできました。当時で一日4本のバスが、午後の2本は予約で満杯になっていましたから、あのパリジェンヌは無事に富山に行けたのでしょうか。

　この話には後日談があって、家に帰ってから確かめてみると、持参していた抗生物質は、ただの風邪薬だったというお粗末な結末だったのでした。

新潟県西蒲原郡弥彦村
北緯37度41分28秒　東経138度51分19秒
面積25㎢　村人293人　財政力指数0.41

　春の青春18キップを利用して、弥彦村に行きましたが、かなり大変でした。まず私の住んでいる立川駅まで始発バスで行き、拝島から八高線で高崎へ、上越線で長岡、信越本線で東三条、そして弥彦線で矢作です。なぜ終点ひとつ手前の矢作で降りたかというと、そこ

に村役場があるから。

　何も情報を持たずにいったのですが、村役場のすぐ近くに巨大な朱塗りの鳥居が立っていて、なんと日本一の大きさで、扁額の大きさが六畳間ほどあるというではありませんか。日本一とか、世界最南端なんてものが大好きの私は欣喜雀躍、小躍りするような気持ちで眺めてきましたが、あとで聞くとどこだかの新しい鳥居に10cmほど負けてしまったそうで、今では日本二なのだそうです。

　肝心の村役場は日曜日とあって、誰もいないために話が聞けませんでしたが、ここでの最大の見どころは弥彦神社に決まっています。

　夕暮れせまる中、ほとんど人のいない神社に詣でましたが、弥彦神社は今まで私が訪れた中では最高に素晴らしいところでした。鳥居をくぐって参道を行くと、豪壮な中にも繊細さを感じさせる山門がそびえ、その背後には堂々たる山容が迫っています。借景ともなっている山と山門の位置関係は近づくにつれて比重を変えて、いつしか山門がせり出すようにすら感じられるのです。

　境内に入ると、私は思わず足を止めて絶句しました。その本殿と周囲を取り囲む塀の厳かでいて、粋な華やかさをも感じさせる絶妙の雰囲気に飲まれたのですが、これ以上は書き表すことができませんから、是非ご自分の目で確かめてください。

　ただ拝殿横に積み上げられた酒樽の多さが眼につい
て、以前ならばたまらず喉を鳴らしていたところです
が、禁酒をしている今では、ああ酒樽がいっぱい積ん
であるなあとの感興しか湧かなくて、物事のすべては
自分の思いから発しているのだと感じました。

　もう夕方も遅かったので、神社横からの送迎バスが
終わっていて、弥彦山へは登れませんでしたが、スカ
イツリーと同じ高さの山頂からの眺めは素晴らしいも
のらしいですね。

新潟県岩船郡関川村（せきかわむら）

北緯38度05分22秒　東経139度33分54秒
面積299㎢　村人4675人　財政力指数0.23

　今回の公共交通機関利用の取材旅行で、一番に苦労
したのが関川村訪問でした。何しろ米坂線は本数が少

なくて、どうしても一泊しなければ無理かなあと思いつつ時刻表を見ていたら、うまい具合に直通運転を見つけましたが、それが快速べにばな号で、なんと新潟8時40分発なのです。

　逆算すると弥彦駅で始発に乗らなければ間に合わないのですが、なんとか頑張りました。こんなときは駅に近い宿でよかったなあと思いますね。

　越後下関駅にはコインロッカーなんて都会的なものがありませんから、キャリーバッグをガラガラと引いて村役場へ。観光課のお兄さんがどっさりとパンフレットをくれましたが、それだけでも観光に力を入れているのがわかります。ネックとなるのは交通の不便さですが、地域に住む人優先のバス運行になるのは仕方ないでしょう。

　村役場の真向かいに重厚な屋敷がありますが、そこが一番の見どころともいうべき渡邉邸でした。大人600円の入館料を払って中に入ると、その土間の広さに度肝を抜かれ、柱の太さに感嘆し、部屋の造りにも驚かされました。広さ三千坪の敷地に木羽葺き石置き屋根の広壮な母屋があり、本当に屋根の上に大きな石が乗っかっているのです。

　屋根材の木板が二十万枚、重しの石が一万五千個も乗せられているとのことで、並みの屋敷ならばそれだけでもつぶれてしまうところですが、どっこい渡邉邸

は200年も持ちこたえているのだからすごいじゃありませんか。

　あいにくの吹雪に閉じ込められて、温かないろり端で時間をつぶしました。管理人のおばさんが暇を見てはわら細工を作っていましたが、作るそばから売れてしまうという小さなわら細工土産の代金は、あの人の手間賃になるのでしょうか。

　緑なす山々に囲まれ、大きな河を擁している関川村には温泉宿が点在して、四季折々の花々も咲き乱れるみたいですが、見逃せないのは毎年8月最後の金、土、日に開催される「大したもん蛇まつり」でしょう。長さが82メートル余、重さ2トンという竹と藁で作られた大蛇はギネスに認定されて、それが500人に担がれて練り歩くというのですから、見なきゃ損でしょう。

　おみやげは猫のすみかとしては絶好の猫ちぐらときんつばですが、中村屋のきんつばは前日までに予約しておいた方が無難そうですね。

新潟県岩船郡粟島浦村
あわしまうらむら

北緯38度28分06秒　東経139度15分16秒
面積9.78㎢　村人331人　財政力指数0.08

　岩船港から高速船で55分、普通船で90分、日本海に可愛らしく鎮座ましますのが粟島で、村名としては粟島浦村というややこしい呼び方になっています。取材当日は島に渡るには一日2便のフェリーを利用するしかなかったけれど、高速船も運航予定とのことで、今なら走っているのではないでしょうか。

　第二便を待つ間に、待合所の看板にあった宿に片っ端から電話をかけると、片っ端から断られて困りました。何しろ島に渡ったら明日しか帰り便がないのだから、どこかに泊まらなければならないのです。そこで一計、素泊まりでもよいからと伝えると、ようやく六郎兵衛という宿に泊まれることになってひと安心。

　島には発電所があって、島内で使う電気はすべてここから供給されているから大切に使わなければなりませんし、水源も小さいから、水も大切に使うことが求められます。レジャー用の車は持ち込めないし、ほとんど民宿だけの島だから、日本であって日本でないような、そんな不思議な雰囲気が充満している粟島です。

　不思議な雰囲気といえば、いくつかの霊的めいたパワースポットも点在しているらしいのですが、今の落ち着いたムードを壊すようなオカルトチックで場違いな人たちには訪れてもらいたくはない、粟島浦村でした。

　ほとんどの旅行者が民宿で食事するらしく、食事処は多くないのですが、村が建てて東京出身の雇われオーナーがやっている港のカフェは開店している時が多いので、利用するとよいでしょう。しゃれたカクテルなども作ってくれるのかどうか知りませんが、鍋焼きうどんとコロッケは美味しかったです。

第1章

第2章

第3章

第4章

第5章

第6章

新潟県刈羽郡刈羽村

<ruby>刈羽村<rt>かりわむら</rt></ruby>

北緯37度25分20秒　東経138度37分21秒
面積26km²　村人4225人　財政力指数1.33

　新潟から吉田乗り換えの越後線で2時間、ようやく刈羽駅に着きましたが、次の柏崎行きまで3時間も待つのです。だから何もない駅で収まるのを待っていればよいのに、何を焦ったのか、季節外れの猛吹雪をついて村役場を目指しました。

　横なぐりの雪でズボンもスニーカーもぐっしょりと濡らして役場に着いた頃には、またたく間に雪をうっすらと積もらせた吹雪はいずこにか去って、青空からは温かな陽光がまぶしく差し込んできたではありませんか。

　こんな時、昔の私ならばついていないと腐って、誰彼なしに八つ当たりしたくなるところですが、今の私

はひと味違って、なかなか貴重な体験をさせてもらっ
たと感謝の念さえ抱きましたよ。

　さて刈羽村役場は立派で、学校も近くの生涯学習セ
ンターも立派なのですが、やっぱり補助金が少なくな
いせいなのでしょう。聞くところによると柏崎地区に
4基、刈羽地区に3基の原発があって、それで柏崎刈羽
原子力発電所と総称されるらしいのですが、こんな日本
海側まで東京電力だというから驚くじゃありませんか。

　福島のような（想定外の）大事故がないことを、未
来を託す子供たちのために祈らずにはいられない気持
ちでした。

　原発も事故さえ起こさなければ、周囲の見た目は平
和で、刈羽村も季節になれば砂丘桃が花開き、祭りが
繰り広げられる、訪れて楽しい場所だと思いました。

　あまりにも時間があるので、利用者が少なくてもっ
たいないようなラピカで暇つぶし、のんびりと同じ道
をたどって駅まで帰りましたが、なんとすぐ近くにバ
ス停があって、役場までのバスも運行しているではあ
りませんか。

　あまりの吹雪に前のめりになって歩いたから見落と
したのですが、それでも「まあ、人生とはこんなもの
か」とは、私もずいぶん大人になったものです。

第1章
第2章
第3章
第4章
第5章
第6章

福島県安達郡大玉村
おおたまむら

北緯37度32分04秒　東経140度22分16秒
面積79k㎡　村人8880人　財政力指数0.34

　自宅の近くに、まだ未踏破の村がいっぱいあるのに、どうして福島県の村を先に訪れたかというと、いくつかの村が合併吸収されるかも知れないとの噂があるからです。だから梅雨入り前の晴れ間を選んで、早速出かけました。

　旅のスタイルとしては、折りたたみ自転車を転がしての列車利用が好きなのですが、今回はいかんせん広範囲に散在しているので、愛車での取材旅行となりました。

　早朝に立川を出発、青梅から圏央道に入り、東北道を北上します。ひとりだけのドライブですから、大変だけども大いに気楽、早めに休憩を取り、無事に本宮

で高速道路にさよならしました。以前ですと車を止めて地図と首っ引きなんてケースですが、今は車載ナビという文明の利器があるので、大玉村役場と打ち込んで指示通りに走ればよいだけです。

　大玉村役場は普通のたたずまいですが、観光課の職員の方が丁寧に対応してくれて、こちらもいきおい丁寧に紹介したくなるというものです。「安達太良といぐねの里」大玉村はみずからも「大いなる田舎」と名乗っているように、モダンな施設をいっぱい有しながらも、雄大な自然に包まれた素敵な村です。

　見所はなんといっても間近に望める安達太良山で、気分はすっかり智恵子です。名倉山登山道や遠藤ケ滝遊歩道なども完備されているので、家族で訪れても楽しいかも知れません。宿泊もコテージから温泉旅館まであるので、ゆっくりできるのです。

　あだたらの里直売所ではめずらしいソースを売っていて、その名も「ごちソース」というのです。なんでも地元の中学生のアイディアを活かした商品で、さしすせその五要素がすべて入っているのだから、まずいはずもありません。食事処たまちゃんでは、かき揚げ丼に温泉玉子のセットをどうぞ。

　私が大玉村で一番びっくりしたのが、南米はペルーのマチュピチュと友好都市だということです。観光課の職員が言うには、マチュピチュ村の建設に大いに貢

献した日本人野内与吉さんが大玉村出身者ということで、友好都市になっていて、なんと大玉村主催でツアーまで催行しているのです。リマ、クスコを経て、マチュピチュ観光が午後半日と、翌一日が丸々入っていて、しかもナスカの地上絵までセスナから見るという、実に充実した内容で、おまけに大玉村主催の晩餐会が二度も入るというおまけ付きです。料金もリーズナブル（もちろん安くはないですが）で、旅好家を自称している私もお勧めできますが、あのツアーは村民じゃないと参加できないのでしょうか。

　私自身は30数年も前に、南米一周旅行の際に訪れていまして、世に名高い観光名所とされている場所で、がっかりさせない最右翼といえるかも知れません。がっかりと言えば、今でもやっているのかどうか、頂上のバス停を発車したバスがつづら折りの坂道を下ってくる際に、一緒に出発した若者が一直線に駆け下って、ふもとでバスを先回りしてお小遣いをもらうという命がけの仕事？　がありました。私の乗ったバスの乗客はあいにくとその少年の顔を覚えておらず、誰もチップをあげなかったので、彼は大いにがっかりしたのでした。当時の私も貧乏旅行だったので、小銭すらあげられなかったのですが、いまだにそのことだけは後悔しています。

　つづら折りといえば、滝を見に行こうとして道を誤

り、ものすごく細い林道めいたところに迷い込んでしまいました。途中から砂利道になってしまった道は、やがて車一台分くらいの狭さになり、よっぽど引き返そうとも思ったのですが、岳温泉方面なんて看板に勇気づけられてようやく抜けることができました。という訳で、初日は岳温泉泊まりとなりました。

◆番外エッセイ

外国の見所その1

世界的名所としてマチュピチュの名前が出たので、そのほかの見所にも触れてみましょうか。まず滝といえばナイアガラの滝、イグアスの滝、ヴィクトリアの滝が世界3大瀑布と呼ばれます。

観光しやすい順にもなっていますが、こう並べるとすぐに規模の順位を付けたくなる人もいるでしょう。私なりの判断基準はありますが、ここは公平に、元アメリカ大統領夫人がイグアスの滝を見たときの感想を出しておきます。

「ああ、可哀想な私のナイアガラよ」

福島県相馬郡飯舘村（いいたてむら）

北緯37度40分44秒　東経140度44分07秒
面積230km²　村人763人　財政力指数0.21

　福島2日目は飯舘村訪問ですが、ここでも道を間違えました。次の日に行く手筈になっている葛尾村の宿泊施設の電話番号をセットしてしまったために、そちらに向かってしまったのです。

　もうすぐで葛尾村なんて看板が出たところでようやく間違いに気づき、なんとか引き返しましたが、おかげで「古戦場のしだれ桜」という結構な名所を訪ねることもできました。

　もちろん花の時節ではないので、桜は咲いていませんが、それでも満開だったらどれほど迫力があるのだろうと想像させる枝振りで、道を間違えてよかったです。

　そこには福島県内の桜番付が張り出してあって、そ

の時期の桜めぐりも楽しそうです。

　かなり道を戻って、ようやく飯舘村に入ると、途端に放射線量が高くなりました。ちなみに私は、今回はエステー株式会社製のエアーカウンターSという計量器を持参しました。

　福島第一原子力発電所が炉心溶融した挙げ句に、施設が水素爆発を起こして大量の放射能が飛散した時には、ものすごく値上がりしたカウンターでしたが、一年もすると値段も落ち着いたので、いずれ役に立つだろうと買い求めておいたのです。

　飯舘村入り口の道路看板のところでは0.22マイクロシーベルトでしたが、村役場駐車場では0.3になり、役場の中ではグッと低くなって0.09でした。帰宅困難地区の解除が進んでいますが、基準はどれくらいなのでしょうか。

　私ら平民がお役人のすることに楯突くことなどできないのですが、それにつけても最近のお役人のレベル低下を思うと、心配になります。

　それにしても飯舘村役場の建物は立派で、これほどまで素晴らしい建物がいるのかと思われるくらいですが、いろいろとあるのでしょう。

　そこの中に資源エネルギー庁発行の「廃炉の大切な話2018」というパンフレットがあったので、もらってきましたが、相変わらずの自画自賛というか、本当に

大事な部分はぼかしてどうでもよいことを説明するというか、統計をごまかして数字を過大に、あるいは必要に応じては過小に提示するというテクニックを披露してくれています。

この中でも素人目にもおかしいと思われるのが、最後のページにそれとなく示された「**私たちは、ふだん、身の回りにある様々な放射線を受けて生活しています**」に続く数字で、大気中のラドンなどから0.48ミリシーベルト、大地から0.33ミリシーベルト、食べ物からは0.99ミリシーベルトなどを受けて、年間では2.1ミリシーベルトの被爆をしているとあるのですが、眉唾物ではないでしょうか。

まあ一国の総理大臣ですら、アンダーコントロールなどと公言していけしゃあしゃあとしている公僕身分ですから、数字をコントロールするなどはお茶の子さいさいなのでしょうが、本当にこれでよいのだろうかと心配になりますね。

役場には観光課がなく、別な場所にあるとのことでパンフレットももらえませんでした。だから情報はなにもないのですが、お泊まりは「きこり」でできます。

飯舘村から次の目的地である葛尾村に行こうとしたら、これがかなり困難だったのです。

何しろ山道が軒並み封鎖されているし、そこら中が山であって、これじゃあ一生たどり着けないかも知れ

ないと思いましたが、とある広い道だけが通れるように
なっていました。といっても帰宅困難地区を、車での通過に限って許すといった具合だから、みんな猛スピードで山を越えていくのです。

　私はいたずらに放射能の恐怖をあおり立てるつもりはないのですが、現状を正確に報告したいという気持ちがあるので、途中で止まって外の線量を測ると、なんと2.8マイクロシーベルトもの値を示すではありませんか。

　さすがにちょっと怖くなって、急いで通り過ぎようとすると、車中で計測しっぱなしの線量計が3.2まで上がったので、あわてて窓を閉めたのですが、放射線というのはガラスなんか平気で通過するものらしい。

　それなりの対策をしている道路でこれだから、山の中に入ったらどれほどの数値が出るのでしょう。

　そして半減期が千年万年単位の放射能、いったいいつになったらみんなが元のように山に入って、キノコ狩りをしたりできるようになるのでしょうか。

福島県双葉郡葛尾村
かつらおむら

北緯30度37分13秒　東経140度45分52秒
面積84km²　村人332人　財政力指数0.12

　ともかくも、葛尾村に着きました。出発前の予定段階では、ひとつの村をじっくり見て回り、葛尾村には午後遅くに着くはずだったから、せせらぎ荘という公共の宿泊施設を予約していたのですが、まだ朝の10時前だからと真っ先に予約取り消しを頼んだらダメでした。いくら何でも午前中に宿泊施設に入るのは早すぎますが、せせらぎ荘は、素泊まりで3000円、風呂は入り放題で宿泊棟は清潔とくれば、もう泊まるっきゃないでしょう。

　ここ葛尾村も原発事故のあおりを食って大変なのですが、総選挙の結果、820有効投票中の278票を獲得した「しみちゃん」がイメージキャラクターに決定しました。

　おむすび顔に羽織袴姿のしみちゃんは、なぜか坊主頭に花飾りをのせた女の子なのです。

　略歴は元もち米、ばあちゃんの手で餅にされ、さらに凍み餅にされたあげく、たくさんの愛情でしみちゃんになったという、まことにミステリアスなもので、赤松の木の上に兄と一緒に住んでいるのだそうです。キャッチフレーズは「小さな村から、もちもちと」という、シンプルかつ深淵なもので、今後ともよろしくお願いします。

福島県双葉郡川内村（かわうちむら）

北緯37度20分16秒　東経140度48分34秒
面積197㎢　村人1840人　財政力指数0.26

　夕方にまたせせらぎ荘に戻ってくるつもりで、次の川内村を目差します。川内村には市民ランナーとして

名を馳せている川内優輝ロードがあって、あの人がこの村の出身かと思ったらそうではなく、かなり有名になる以前に招待したらきてくれたので、小さな通りを改名したとのことでした。

　ここでの名所としては、天然記念物モリアオガエルの生息地・平伏沼をはじめとして、いわなの郷、農産物直売所、なごみの温泉などがあるけれど、なんといっても外せないのは天山文庫で、ここはすごいです。

　詩人草野心平が、カエルつながりで名誉村民となり、村から炭100俵を送ったところ、帰りのトラックに蔵書を3000冊（5000とも）寄贈されたので、文庫を作って保存することになったとの事。

　阿武隈民芸館の展示品も興味深いのですが、その奥にある茅葺きの別荘が天山文庫で、角柱がなくてフルオープンになる廊下でのんびりと蔵書を読んで時を過ごしてしまいました。

　食事のできるところは限られていて、私は一軒だけ開いていたラーメン屋に飛び込みました。となり客の「ネギ味噌ラーメン」が美味しそうだったのですが、なんとなくこちらの気分かなと「モツ煮定食」にしました。

　急に海を見たくなったので、東に向かって走ることにしました。なにしろ夜までに葛尾村に戻ればいいのだから、時間が有り余っているのです。楢葉町に着いたら、万里の長城か、と思うほどの大きな防潮堤を作っ

ていて、まったく海なんか見えないのです。

　あの大津波があってすぐに、巨大な防潮堤をあちこちで作り始めたのですが、なんだか順序が違っているのではないだろうかと感じるのは、私だけでしょうか。

　同じ道を帰ってきて、せせらぎ荘にお泊まりしましたが、ロマンスもアバンチュールもないのはいつも通りなのさ。

福島県石川郡平田村（ひらたむら）

北緯37度13分19秒　東経140度34分33秒
面積93㎢　村人5450人　財政力指数0.26

　次に訪れたのは平田村で、ここでの見ものは芝桜らしいのです。なにしろ「芝桜の里・平田村」と観光マップにもあるくらいで、最盛期には15万株の色とりどりの芝桜が山の斜面を埋め尽くして、まるで花の絨毯を

敷き詰めたような光景が広がるとあります。その他にも桜、百合、あじさいと切れ目なく見られるし、秋には滝と紅葉の見頃ともなるので、けっこう楽しめるみたいです。

　お泊まりは旅館もあるけれど、お福来郎、ふる里、春一番と3軒もある農家民宿が楽しそうです。農家が副業で（あるいは反対か）やっている民宿だから、アットホームな雰囲気はお約束されているようなもので、料金も格安ですが、いずれに7日前までには予約が必要ですから確認のこと。

福島県石川郡玉川村（たまかわむら）
北緯37度12分39秒　東経140度24分32秒
面積46k㎡　村人6035人　財政力指数0.33

『未来が輝く村づくり "元気な" たまかわ』と意気高

らかに謳っている玉川村は、キウイに似たさるなしが
名産品ですが、ここでしか見られない行事としていく
つかの素敵な踊りがあります。といっても、私がなま
で見たわけではないので、公平を期するためにパンフ
から引用しましょう。

「南須釜の念仏踊り」江戸時代慶安年間から始まり大
正4年に一時中断しましたが、昭和27年に再興しまし
た。色鮮やかな振り袖に花笠、手甲脚絆をまとった少
女たちによって、毎年4月3日の大寺薬師祭と、お盆の
14日に東福寺境内で奉納されます。（春は着物で夏は
浴衣姿）

「浦安の舞」川辺八幡神社、大雷神社にそれぞれ奉納
される舞は、神聖でおごそかな優雅さが漂います。毎
年10月第1又は第2日曜日に小高地区、10月3日に川辺
地区で行われる伝統行事です。

「三匹獅子舞」女・太郎・次郎が主役となる三匹獅子
舞は、宮参り、餅つき、居眠り、女獅子うばいなど数
曲で構成されています。毎年10月の北須釜地区・南須
釜地区（4年に一度）で実施される伝統行事です。

「平鍬踊り」笛や太鼓の獅子（著者注囃子か）に合わ
せ、威勢の良い掛け声と踊る平鍬踊りは、実りの秋の
感謝を象徴します。毎年10月の第1又は第2日曜日に
小高地区、南須釜地区、山小屋地区（4年に一度）、
北須釜地区で行われる伝統行事です。

以上、玉川村役場産業振興課より発行のパンフレットからの引用で、個人的には念仏踊りの少女たちの写真が可愛らしいと感じましたが、それにしても10月の日曜日には踊り手さんの奪い合いにならないのでしょうか。

福島県東白川郡鮫川村 (さめがわむら)

北緯37度02分33秒　東経140度30分35秒
面積131㎢　村人2800人　財政力指数0.16

　鮫川伝いに鮫川村に向かいますが、道路につかず離れずといった感じで続く川が素敵なのです。思わず沢登りをしたくなるほどのなだらかな早瀬で、途中にいくつもの見所がありますから、看板を見落とさないように、前を向いて走りましょう。
　村役場は普通で、パンフレットもいくつかありますが、村として力を入れているのが鹿角平 (かのつのだいら) 天文台で、原

則5名以上で1週間前に予約すれば、自慢の星空を観察できるそうです。その他にはと尋ねると、ここの女性職員が熱心に豆腐を勧めるじゃありませんか。それならとばかりに道を聞いて向かうと、妙なところに行き当たってしまいましたが、これぞ怪我の功名と言わずしてなんでしょうか。

　室町から戦国時代にかけて勢力を持っていた赤坂氏の館跡で、下から見ると小高い公園にしか見えないのですが、頂上まで上がったらびっくりしました。北と東を川に守られ、南と西は切り立った崖になっているのですが、それらが急峻で鋭角、更には何層にも重なっていて、いかにも難攻不落っぽい造りなのです。

　私もいくつかの城跡を巡りましたが、ここまで全体像が見られて、しかも攻め手の様子も手に取るように分かるだろう形の場所は初めてです。本郭、二の郭を守って出郭、帯郭、堀切や畝状立て堀などが巡らされた様子が一目瞭然なのですから、まったく石組みを使っていないあそこを名所と言わずしてなんでしょう。最近はちょっとしたブームみたいですが、穴場中の穴場として、知る人ぞ知る城跡に甘んじていてもよいのでしょうか。

　ちなみに私が行った時には人がいっぱいいておどろきましたが、みんなニッコウキスゲを撮影に来ていたのでした。スイセンやヤマユリなども咲くみたいで、季節によっては様々な表情を見せる館山公園、かなり

第1章
第2章
第3章
第4章
第5章
第6章

急峻ですが、運よく人も車も少なければ、てっぺんまで車では行けますが、くれぐれも崖から真っ逆さまに落ちないように。

　食事は手まめ館で、エゴマ鶏親子丼（限定品）とエゴマソフトクリームで決まりでしょう。公園も体験・宿泊施設なども充実の鮫川村でした。

福島県西白河郡中島村（なかじまむら）

北緯37度08分56秒　東経140度21分01秒
面積19k㎡　村人4708人　財政力指数0.26

　中島村役場は、村の大きさに合った質素なものでした。パンフレットも一種類しかないのですが、その割には情報が詰まっています。村の文化財第一号として、汗かき地蔵があります。昔から異変が起こりそうになると、汗をかいて人々に知らせたと言い伝えられる石

造りのお地蔵さんで、同じ方角には名勝【鷹の図】も
あります。トマトや花卉栽培も盛んですが、かの小室
哲哉氏が寄贈した「カラクリよかっぺ時計」のある童
里夢公園なかじまでは、運がよければ同氏アレンジの
「汗かき地蔵太鼓」のメロディが聴けるかも知れません。
また時計台に据えられた三日月が上がっている間に願
い事をとなえると、その願いはかなうとも言われてい
ます。さあ、あなたも大切な夢を持って「時計台と緑
花木の里」なかじまを訪ねてみませんか。

福島県西白河郡泉崎村
いずみざきむら

北緯37度02分33秒　東経140度30分35秒
面積131km²　村人2800人　財政力指数0.16

　次なる泉崎村では、中島村と違ってパンフレットを
いっぱいくれましたが、注目すべきは天王台ニュータ

ウンの分譲価格の安さでしょうか。最短で東京駅まで96分という泉崎駅から徒歩7分の宅地が、一坪9万8千円という破格値で、最安値が600万円台からとあれば、もう真剣に検討するっきゃないでしょう。

「溢れる自然、暖かな住民とのふれあい、魅力の価格、東京駅に最短96分の近さ！　ここはすべてに優しく、暮らしやすい『優雅な田舎暮らし』を実現できる行政の分譲地です。

と高らかに謳いあげられたニュータウンの住民によると、ここは「ど田舎ではなく、便のいい田舎」だそうで、子育て環境も充実しているみたいです。

原山古墳から出土した埴輪がユニークですが、見逃せないのは泉崎横穴で、凝灰岩を横に掘った石室内部に人物や馬が朱彩されて残っているそうで、年に数回だけ一般公開されるそうですから、資料館に問い合わせのこと。

国際基準を満たしたバンク角38度で一周333メートルのサイクルスタジアムをはじめとして、プール、体育館、多目的陸上競技場、野球場もテニスコートも弓道場まで備わった泉崎村には、もちろん研修にも対応した風呂付きのヴィレッジもありますから、裕福なクラブはご利用ください。

福島県岩瀬郡天栄村（てんえいむら）

北緯37度15分19秒　東経140度14分49秒
面積226㎢　村人4947人　財政力指数0.29

　次に訪れた天栄村でも、パンフをいっぱいくれましたが、こちらは遊びどころと見どころが豊富に載っています。ハイキングから山歩き、サイクリング、オートキャンプが春から秋までの楽しみだとすれば、冬はワカサギ釣りもスキーもエンジョイできます。宿泊施設も温泉宿からペンション、民宿、キャンプ場までなんでもござれの様相ですが、イギリス好きなら迷わず「パスポートのいらない英国」ブリティッシュヒルズに行ってください。

　標高965メートルにある7万3千坪のイングリッシュガーデンに散在するのは、英国チューダ期の建築様式を忠実に再現した建物たちで、気分はすっかり英国紳士。素敵なマナーハウスで本場の調度品を見たら、体

験レッスンなども楽しめます。小腹が空いたらアフタ
ヌーンティーとしゃれ込むのも結構ですが、お値段も
結構するので、ふところ具合ともご相談を。

　更なるお勧めは、私はもうやりませんが、ふたつあ
るゴルフ場でしょうか。高原にはめずらしい平坦なコー
スは、かつて軍馬の放牧場だった名残で、アップダウン
がなくフェアウェイにもカートが乗り入れられるから、
足腰が弱ってきた人には嬉しいかも知れません。パン
フレットの写真を見ただけで、こんなお勧め文章を書
いているのですが、「360°絶景コースで雲上のゴルフを」
のキャッチコピーはそれほど外れてもいないでしょう。

福島県西白河郡西郷村（にしごうむら）

北緯37度08分30秒　東経140度09分19秒
面積192㎢　村人20998人　財政力指数0.89

「阿武隈川源流の郷・さわやか高原公園都市・合宿の郷・にしごう」とパンフレットにもある通り、西郷村はさわやかな高原の村ですが、それもそのはず、すぐ南は那須高原ですから、さわやかでない筈がないのです。それでいて東北新幹線の新白河駅に接してもいますから、利便性もいうことなし。

　高原野菜や果物、牧畜などが盛んですが、お勧めはファミリーなら水着着用のファミリー浴場があるちゃぽランドと、おもしろそうな乗り物がいっぱいのキョロロン村でしょうか。

　サイクリングを楽しみたい向きには、初心者から本格派までのコースが取りそろえてあります。白河駅を出発して白河関跡までの9の字コースは高低差も少なく、距離も32キロとお手頃です。もっと攻めたい人なら、旧那須甲子有料道路コースがあって、こちらは最大標高差が347メートルで、距離18キロ、想定所要時間1時間12分となっています。途中の福島栃木県境あたりの標高は1100メートルだから、見晴らしの良さは折り紙付きですが、アップダウンの激しい体力勝負のルートとなっていますから、脚力自慢の人だけにしておきましょう。

　サイクリングマップによると、他にもいくつもの魅力的なコースが用意されていますが、へそ曲がりな人は自分だけのルートを開拓するもよいでしょう。私も

若かりし頃は元気で、芭蕉の奥の細道を忠実に自転車でたどったこともあるのです。だから白河の関も殺生石も来たことがあって、妙に懐かしいような西郷村でした。

　夕方になったので、川沿いの「はなのや」に泊まることにしました。パンフにある宿泊施設の中では一番安かったので、ここに決めましたが、網戸が穴だらけで閉口しました。ティッシュを詰めて防衛しましたが、夜は網戸にするどころか、まだ出しっ放しのこたつに足を突っ込むほど涼しくて、無駄な努力でしたね。

　宿の下の方から水音がするので尋ねてみると、川沿いの遊歩道が整備されているとのことで、早速杖を借りて出向きました。案内板が立っているところから下りはじめて、かなりな急坂を来たのに、川音がまだまだはるか下の方から聞こえてくるのです。下ったら同じだけ上らなければならない計算で、道半ばまで行かない段階で引き返してしまいました。阿武隈川の源流近くは見たかったけれど、最後まで下りていたら自力で還ってこれたかどうか分かりません。

　ラーメン屋を兼業している「はなのや」での夕食に、小バエがいっぱいたかっているのです。小うるさい小バエを追い払いながらのうっとうしい夕食になりましたが、どうも様子がおかしいのです。高原の宿にしては結構なおかずでうなぎや肉などもあったのですが、

小バエどもはそっちにはまるで無関心で、菜っ葉のおひたしだけにしか興味を示さないのです。半分ほど食べてしまったあとですが、それだけを離すと小バエはみんなそっちに行ってしまったので、あとはゆっくり食事を楽しめたという他愛もないお話でした。

　この本の執筆段階で、福島県には行政上の村が15あって、これまでに11村を踏破してきましたから、内陸部に4村が残った計算です。

◆番外エッセイ

自転車で奥の細道

　若くて体力が余っていて、時間も余っていたので、芭蕉翁のたどった奥の細道を自転車で走ってみようと考えました。もう、ずいぶんと昔のある夏のことです。

　体力も時間もあるけれど、お金はあまりなかったので貧乏旅行になるのは必然、テントも買えずに寝袋一つだけの装備だから、悲惨なことになるのも当然だけど、当時は若気の至りでそんなことは考えもしなかったのです。

　深川の芭蕉庵を出発して順調に走り、夜になったので眠る場所を探すと、うまい具合に田んぼの中に小さなお社がありました。そこに潜り込んで寝袋にくるまれば、まだ白河は遠いけれども白河夜船です。

　夜更けてあまりのうるささに目覚めれば、顔の周りをワンワ

ンと蚊が飛び回っているじゃありませんか。もうすでに何カ所も刺されていて、かゆくてたまりませんから、思わず頭から寝袋をかぶって中からチャックを閉めましたが、今度は暑くてたまりません。足だけ出せばそちらが食われ、頭を出せば頭が食われで切りがないのです。

　仕方ないので手で蚊を追い払いながら寝ましたが、藪っ蚊の方だって、こんなところでごろ寝するような格好の獲物はめったにないだろうから必死です。両者の攻防はどちらに軍配が上がるかは最初からわかっているようなもので、結局のところ、私は百カ所以上も食われて惨敗の結果となったのでした。

　それでもめげずに、最終的に大垣まで走りきった私が、張り切ってそれらの体験をまとめたのに、どこの出版社でも相手にしてくれずに「自転車で走る奥の細道」は幻の本になってしまったというお粗末な一席でした。

福島県南会津郡桧枝岐村

北緯37度01分27秒　東経139度23分20秒
面積390k㎡　村人494人　財政力指数0.35

　西郷村から檜枝岐村を目差す途中で、素晴らしく景観のよい道の駅があって、それが「しもごう」でした。標高860メートルで、ほぼ360度が見渡せるのですから、景色の悪かろうはずもありません。

　風の声、虫の音、鳥のさえずり、木々の葉ずれなどがハーモニーを奏でて、サラウンドとなって五感を包み込んでくれます。昔はやったマクルーハン理論のインボルブメントとは、この事じゃないかなんて錯覚させてくれるほど素敵な道の駅でした。

　尾瀬沼の北の玄関にも当たる檜枝岐村は、とても開けている感じで、村役場も立派すぎて拍子抜けです。別に質素じゃなきゃいけないこともないのだけれど、

こんなところにも裕福度が出るのでしょうね。

　スキー場真ん前の道の駅も裕福そうで、山旅案内所も併設されていますから、山の情報はこちらで仕入れましょう。日本百名山に数えられる会津駒ヶ岳、平ケ岳、至仏山、燧ヶ岳に囲まれる形の檜枝岐村は、魅力的なルートがいっぱいで、それこそ迷ってしまいそう。

　有名な尾瀬沼には途中までしか車で行けないので、かなり本格的なトレッキングを覚悟しておいた方がよいでしょう。くれぐれもハイヒールや軽装で訪れないこと、とパンフにも注意書きが載っています。私は今回は時間がなくていけませんでしたが、群馬県取材の折は、片品村側から是非とも訪れてみたいと思った尾瀬沼でした。

　温泉も郷土料理も、江戸時代からの形がそのまま継承されている檜枝岐歌舞伎も、時間があれば堪能してみたいところでした。

福島県大沼郡昭和村（しょうわむら）

北緯37度20分08秒　東経139度36分38秒
面積209km²　村人1155人　財政力指数0.08

「ゆったりとした季節の巡りに寄り添いながら、軽やかに朗らかに毎日を暮らす人々は、小さくてもあたたかな温もりに包まれる幸せを、そっとあなたに教えてくれます。からむし織とカスミソウの里　昭和村」

　昭和村の紹介パンフからの引用ですが、前の村からここに来る時に、ナビゲーターが間違えました。正確に言うと間違いではなく、群馬県にもあるもうひとつの昭和村を案内したのであって、あぶなく逆方向に走ってしまうところでした。

　田舎道をのんびりと走っているうちに気づいたのですが、毛虫が道路を横断する時に、必ず直角での最短距離を歩いているのであって、斜め横断しているヤ

ツがいないのです。老眼でも遠目の利く私は、いちいち毛虫を避けて車を走らせながら、それが不思議でたまらなかったのですが、単なる思い違いでしょうか。それともやはり毛虫にはそれなりの能力が備わっていて、どのルートが一番早く反対側に行けるか分かっての行動なのでしょうか。それとも、そんなことを不思議がる私の方が変人なのでしょうか。

　食べるところも泊まる施設も、それなりに整っている昭和村ですが、特筆すべきは田舎暮らし体験住宅でしょうか。古民家を再生して生活体験できるようにしたとのことで、10帖の和室がふたつに、囲炉裏付きのDK、ロフトや風呂、トイレ、システムキッチンまで備えた雰囲気いっぱいの古民家が大人10人で1週間6万もせずに借りられるのですから、もう苧麻倶楽部に予約するっきゃないでしょう。

福島県河沼郡湯川村
ゆがわむら

北緯37度33分57秒　東経139度51分13秒
面積16km²　村人2947人　財政力指数0.24

　会津坂下町に隣り合って、湯川村があります。飯豊
山が見通せる広々と開けた湯川村には、勝常寺という
お寺さんがあって、薬師如来像と日光・月光菩薩像が
国宝に指定され、その他にも重要文化財の平安初期
の仏像が数多く鎮座まします全国的にもまれな所です
が、それにもまして日本的にも貴重だと思われる場所
がとなりの湯川たから館です。

　山田洋次監督とコンビを組んで、幾多の名作に撮
影監督として関わってきた高羽哲夫さんは湯川村出
身で、「馬鹿まるだし」「息子」などを経て、「男はつ
らいよ」シリーズを撮り、一番新しいところでは「学
校」のカメラまで回したというすごい人なのです。そ

61

れくらいの人ですから、貴重な脚本から撮影アルバムなどの他にも、大入り袋やバッジ等を残していて、それらをご遺族のご好意で寄贈されて展示してあるのがたから館なのです。

　村所有の映画パンフレットやカメラ、映写機なども見られますが、なんといってもすごいのは「男はつらいよ」デジタルリマスター版全シリーズが、好きな時に好きな作品だけピックアップして見られるというシステムです。朝の9時から夕方の4時まで、寅さんを見放題でリクエストし放題、しかも早めに頼めばおべんとうも注文できるという画期的なサービス、みんなに広く知られて混雑する前に、熱狂的な寅さんファンは湯川村たから館に行きましょう。

福島県耶麻郡北塩原村
きたしおばらむら

北緯37度39分20秒　東経139度56分15秒
面積234k㎡　村人2316人　財政力指数0.25

　いよいよ福島県では最後の村めぐりとなりまして、それが会津若松市の北側に当たる北塩原村です。前にも書いたかも知れませんが、私はいの一番に村役場を訪ねることに決めていて、ここでも真っ先に行ったのですが、その豪華さにびっくりしました。

　いかに土地がいっぱいあるといっても、小高い山の中腹に広くて大きな村役場が出現すれば、やはり場違いの感はぬぐえません。だから早々に退散しましたが、なんでも観光課は別の場所にあるとかで、肝心の観光パンフレットは3枚しかもらえませんでした。

　会津磐梯山を裏側から望む位置にある北塩原村は、パンフによれば冬のアクティビティが充実していて、

景観も雪質も素晴らしいスキー場が4つに、凍結するとワカサギ釣りができる桧原湖があり、その他にも厳冬期にしか見られない凍った滝のすぐ下まで行けるスノーシューなどもあるのですから、けっこう楽しそうじゃありませんか。

　もちろん夏にもそれなりの楽しみ方があり、宿泊施設も20を数える西塩原村でした。

　取材を終えてひと安心、翌日は初訪問の会津若松市を見て回りましたが、長年の疑問が氷解してホッとする出来事もありました。

　私は老いたりとはいえ小説家の端くれですから、さまざまなジャンルで本を書いているのですが、割と思い入れのある作品に「二本松少年隊異聞　西郷を討て」があります。本格的な会津若松城攻防戦が始まる前に、攻め寄せる西軍に対して激しい抵抗をした二本松藩での少年鉄砲隊の物語で、戊辰戦争から西南戦争までのストーリーなのです。

　12歳から17歳までの少年が健気に戦って犠牲になったのですから、ある意味では白虎隊を凌ぐかも知れませんが、それはそうとして、大きな城が燃えているかいないか、判断を誤ることなどあるのだろうかと思っていたのです。

　それが実際に自分で飯森山に立ってみると、よく分かりましたが、なんと鶴ヶ城がマッチ箱のように小さ

第1章　愛知県　富山県　岐阜県　新潟県　福島県

第1章
第2章
第3章
第4章
第5章
第6章

く見えるではありませんか。これでは町が燃えていれば間違えるはずだと、大いに納得して、さざえ堂を見ながら帰って来ました。

◆番外エッセイ

沖縄には飛行機で

　齢70を越えて、体力の衰えを自覚させられる毎日ですが、一番こたえるのが階段の上りで、次に思うようにいかなくなったのが自転車こぎです。残りの村めぐりの中では、どうしても自転車で回らなければならないのが沖縄で、だからスタミナが残っている今のうちに早めに行くことにしました。だってせっかく自転車を持ち込みながら、体力の限界でいくらも走れないんじゃ無駄でしょうが。

　ひとむかしも前なら、長距離フェリーを乗り継いでも行かれたのですが、今では飛行機に乗るしかなく、早めに手配をしたところ、運良く全日空の安い切符を手に入れることができました。いわゆる格安航空会社の中には、信じられないほど安い運賃を提示しているところもありますが、自転車の運び賃が3000円とか5000円とかいわれたら目も当てられないじゃないですか。それに全日空でも一万円を割っているのだから御の字でしょう。

　あいにく真ん中の席だったけれど、トイレで立った拍子に見たら、非常口の後ろが窓側を含んで3席も空いているのです。スッチー（差別用語か）に尋ねると移動しても構わないが、緊

急時には手伝ってもらいますとのことでよろこんで窓際族に。だからその後は、窓外の景色を堪能しながら一路沖縄を目差したのでした。

　飛行機が徐々に高度を下げて、白い三角波がはっきりと見える海に突っ込んでいって、いきなり那覇国際空港に着陸しました。今までに何度も飛行機には乗っていますが、着陸する時はいつもこわくて緊張するのは私くらいで、他の人はあっけらかんなのですが、私の方がおかしいですか。

　ともあれ本格的な沖縄取材の始まりで、飛行場から自転車で町に向かおうとしていた計画を急遽変更して、便利なモノレールに乗ってしまった軟弱なスタートだったのでした。

　那覇の宿はcamcam沖縄で、一泊800円からとのこと、いったいどんな状況で寝るのでしょうか。

第2章

沖縄県　鹿児島県

沖縄県島尻郡渡嘉敷村
と　か　しき　そん

北緯26度11分56秒　東経127度21分52秒
面積19㎢　村人666人　財政力指数0.09

　泊港、愛称トマリンに来て、さてどこに最初に行こ
うか迷いました。ここから行ける島は4つあるのです
が、とりあえず一番近い渡嘉敷島に渡ることにしまし
た。フェリーで一時間強、高速船では30分強の近さで
すが、ハイシーズンには増便されるみたいです。

　近づくにしたがって、峨々たる山容が望まれて、こ
の時点で自転車での島内一周はあきらめました。だっ
て全体に岩山で、急坂だらけの島は、とても自転車で
は走れそうにないもの。それもそのはず、フルマラソ
ンよりきついといわれる「渡嘉敷マラソン」が恒例に
なっているほどの島だから、そんなにヤワなわけがな
いのでした。

第1章

第2章

第3章

第4章

第5章

第6章

　ホノルルまでは費用がかけられない人は、毎年2月に開催されるというこちらに参加してはいかがでしょうか。ただし募集は800人だけで、いつもほぼ満員になるらしいから、申し込みはお早めに、そして急坂で心臓麻痺を起こしても、私を恨んでは下さいますな。

　マリンボックスでマリン定食を食べたら、港を背にしてずんずん歩きます。すると干潮時ならば、入港時に見えた城島まで歩いて行けますから、冒険好きな人なら行くっきゃないでしょうが、満潮になったら泳いで帰ってくるようですから、くれぐれも潮の満ち引きにはご注意を。

　マリンスポーツを楽しむならば、島の反対側の阿波連までコミュニティバスで行きましょう。あらゆる楽しみ方が揃っていますし、その名もハナリ島というきれいな無人島もありますから、退屈することもないでしょう。

　そんな誰でもエンジョイできるような場所でなく、他の人が誰もいないような浜を独占したいのなら、バイクで林道を走り、全部では18以上もある砂浜の気に入ったところで崖をすべり降りれば一人占めは間違いないけれど、帰ってこられないかも‥‥。

　折りたたみ自転車ダホーンと一緒に、北中城村へバ
スで行きました。まったく情報がないままに「滞納し
たらチンダミするよ」のポスターが貼られた村役場を
訪れると、いっぱいパンフレットをくれましたが、役
場に用意してあるパンフ数としてはダントツに多いと
感じました。職員に話を聞くと、この村の女性は日本
一の寿命を保っており、更には主観的幸福感も全国平
均より高く、一般高齢者の70パーセント以上が健康状
態がよいと回答するなど、おばあには暮らしやすいと
ころなのかも知れません。

　名所はと訪ねると、即座に返ってきた答えが「中村
家住宅」と「中城城跡」とのことで自転車で向かった

70

のですが、いやはや何とも、そこまでの坂道の急なこと、実に行程の半分以上を押して歩く羽目になってしまったのでした。

　中村家は300年も前に建てられた武家屋敷を、地頭職にあった豪農が買い取って増築したという、中国と日本の両方の影響を強く受けた歴史的な建物ですが、そんなことを考えなくても、開け放たれた座敷に座って風に吹かれていれば、自然と悠久の昔に想いが飛んでいくような素敵な家でした。

　そこから更に高い場所にあるのが城跡で、なまじ急な坂道が見えるだけに、よっぽど行かずにすまそうかとも思いましたが、やっぱり自転車を押して頑張りました。だって自分の目で実際に見なければ、ちゃんとした報告なんてできないのですからね。

　汗みずくになり、動悸息切れをなだめすかし、何度も水分補給をして苦労してたどり着いた中城城址は、それはそれは素晴らしいところでした。切符売り場から直接上っていく裏門ルートと、無料カートで連れてってくれる表門ルートがありますが、ここは絶対に表門から入ることをお勧めします。

　この素晴らしい曲線美を誇る城跡の魅力は、まさに筆舌に尽くしがたいものであって、とても私めの文章力ではあらわしきれませんが、ここに立ったとたんにマチュピチュを思い出したことだけは確かです。

沖縄にある300余のグスク跡でも、突出して保存状態のよいここでは、亀甲乱れ積みも美しい三の郭でのプロジェクションマップなども行われるそうですから、そんな行事に合わせて行くのもいいでしょう。

沖縄県中頭郡中城村
なかぐすくそん

北緯26度15分43秒　東経127度47分23秒
面積15k㎡　村人22781人　財政力指数0.49

　本当のことを言えば、中城城跡は北中城村ではなく、中城村の領地内にあるのですが、そんなことを言い出せばキリがないので、こちらからも行かれるとだけお伝えしましょう。

　ただし上り坂は、距離が近い分だけ中城村側からの方がはるかに急で、歩いて上るのはかなり大変です。だから中城村役場前までバスで来て、そこからタクシー

で城跡まで行くというのが正しい行き方ですが、うまくタクシーがつかまるかどうかはわかりません。

　反対に言えば、自転車での下りは快適そのもの、20年物の麦わら帽子を吹っ飛ばされそうになりながら、ツールドフランス気分で一気に村役場までなだれ込みました。

　こちらではやはり対抗意識があるのか、北では女性の寿命が日本一だと自慢していたと告げると、我が中城村は村人口が増えるランキングで上位にいると胸を張っていました。

　こちらでもらった資料の中に、中城グスクを築いた護佐丸について触れたものがありましたので、少しだけ紹介してみます。群雄が割拠していた沖縄が統一され、奄美群島や八重山諸島までも領地を広げた頃の琉球王国に仕えた護佐丸は、読谷村の座喜味グスクの築城を命じられ、軟弱地盤にもかかわらず、厚みを持たせた城壁を湾曲させるという手法で強固なグスクを完成させます。

　その後、首里を守るために中央に呼ばれた護佐丸が入城したのが中城グスクで、彼は守備を固めるために三の郭と北の郭を増築しました。五角、六角という形の石を組み合わせる城壁は強固で、織田信長が初めて本格的な城として築いた小牧山城よりも百数十年も前に琉球には築城技術が確立されていたことになります。

けれども忠義ひとすじに励む護佐丸は、政敵の讒言により、王府軍に囲まれてしまいます。家臣団は王のバックに政敵がいるのを知り、戦うことを進言しますが、忠臣護佐丸は主君に弓引くことはできないと自害します。この時にひそかに乳母が連れ出したのが三男の盛親で、女の子と偽って育てられた盛親は、後の尚円王に取り立てられて、護佐丸の血筋は今も連綿と受け継がれているのでした。めでたしめでたし‥‥。

沖縄県国頭郡伊江村（いえそん）
北緯26度42分49秒　東経127度48分25秒
面積23㎢　村人3964人　財政力指数0.17

朝、那覇のバスターミナルまで自転車で走ります。予定としては美ら海水族館を見てから、自転車で少しばかり戻り、本部港からフェリーで伊江島に渡って一

泊、だったのですが、バスに乗っている内に気が変わりました。だって海沿いの道なのに、アップダウンが激しいんだもの。

　奄美大島ほどではないものの、ちょっと自転車では無理だと判断した私は、本部港でバスを捨てて伊江島に渡りました。フェリーは出発時間も便数も限られているけど、水族館は逃げないのですからね。

　ラッキーなことにフェリーはすぐに出て、すぐに島に着きました。すぐに自転車を組み立てて伊江村役場を目差すも、すぐに胸突き八丁めいた急坂があらわれてヒイヒイ。それもそのはず、前方には突き立つ岩山が見えていて、島の半分が岩山に向かってのぼるような形になっているではありませんか。村役場はそんな急坂の途中にあって、大汗もので訪れたのに、なんと日曜日で誰もいないのです。仕方なく証拠写真だけを撮って港に折り返し、観光案内所の娘さんに伊江村の一押しを尋ねると、迷うことなく「城山でしょう」

　ふもとまでは車で行けて、頂上までは階段があるから誰でも登れます、とは言われたけれど、よっぽどの健脚でなければ登れないだろうことは、下から見上げただけでもわかりますよ。ただし標高172メートルからの眺望は絶佳であることは疑いもなく、体力のある人なら訪れて欲しい場所です。

　私の目的地は村役場でしたから、一直線に登らなけ

ればならなかったけれど、島を一周する道路は平坦で、ハイビスカス園や青少年旅行村などがあり、戦跡なども点在しているから、あらためて平和のありがたさを噛みしめるよすがにしてもらいたい、と戦後生まれの私は思うのでした。

　山裾にある島村屋観光公園は、沖縄三大悲劇「伊江島ハンドゥー小」の舞台となった屋敷跡にあるから、悲恋物語が三度の飯より好きな人は訪ねてください。

　ちなみにここの観光案内所の娘さんは、今まで沖縄で会った人の内では、2番目に美人さんだったと思います。1位はマルエー受付のナカソネさんですが、そもそもこんな風にランキングをつけるのがセクハラなのでしょう。

　帰り便までは1時間弱あるので、食堂で名物の小麦そばチャンポンを注文して待っていると、アイスコーヒーが飲み放題サービスで、ずいぶんと気前がいいなあと感心しきり、ところが肝心のチャンポンが中々出てこないのです。さすがに催促したところ、ようやく出てきた時には出航前30分しかないのです。30分もあるじゃないかという人もいるでしょうが、そこそこの猫舌に加えて、年をとってからは熱いものが喉を通らない（食道が焼けるような感じ）まで追加されたのだから、そんなに急いでは食べられないのです。時計を横目に、熱いシーフード入り野菜チャンポンをフーフー

吹きながらかっ込んでいる私の姿は、のんびりとした
時間の流れる伊江村にあって、さぞかし異邦人のよう
に浮き上がって見えたことでありましょう。

沖縄県国頭郡今帰仁村

北緯26度40分57秒　東経127度58分22秒
面積39㎢　村人8912人　財政力指数0.20

　美ら海水族館を堪能して、バスで今帰仁村役場前に
たどり着きました。ここに来る途中にも、今帰仁城跡
などの面白そうな停留場はあったのですが、まっすぐ
に役場前まで来たについては、今宵の宿を探さなけれ
ばならないという事情があったからです。

　今どき現地に着いてから、情報を集めて電話をして
宿泊するなんて、なんて時代遅れだと思う人も多いで
しょうが、それこそが旅の醍醐味であって、何でもか

んでもスマホで手配してしまうなんて、私に言わせて
もらえば単なる移動にすぎないですね。

　まあそんなことは個人の自由だけど、あんまり便利
さを追及していくと、最後にはずいぶんと不便なこと
になるということが分からないのでしょうか。そして
個人情報が勝手に売り買いされて、自分が丸裸にされ
てしまっていることに無抵抗な人があまりにも多いこ
とに、恐怖すら感じるのは私だけでしょうか。

　それよりも恐ろしいのは、脳が判断力をなくしてし
まうことです。自分の体験したことと勉強したことし
か知識として入っていなくて、しかも判断に時間がか
かる自前の脳と、世の中のあらゆる情報が知識として
キープされていて、瞬時に判断が下せる優秀な脳が隣
り合っていたら、どうしても自前の脳は萎縮してしま
うでしょう。そして外付けの優秀な脳がスマホだとし
たら、怖くないですか。まあ、その時になってみない
と思い知らないのでしょうが、おそらくそんな判断も
できないくらいに脳の劣化が進んでいると思いますよ。
いずれにしても、ご自分で選ぶ道だから他人がとやか
く言うこともありませんが‥‥。

　日曜日の役場には2人が出勤していて、夕方になって
から無鉄砲に飛び込んできた旅行者に丁寧に対応して
くれました。まず観光パンフレットをもらったあとで、
近所の宿を尋ねると、即座に教えてくれたのが「民宿

まるや」。

　ご親切に電話までかけてくれて、泊まれることを確認してくれるなんて、今帰仁村役場の人は、なんてあったかいんでしょうか。

　1階が「手打ちそば　まんてん」の民宿は、値段の割に快適で、しかもフェリー乗り場までかなり近いので正解でした。たまっていた洗濯物をコインランドリーで片付けてしまえば、あとはフリータイム、以前ならばどっかの店に入って酒杯を傾けるところですが、主に経済的な事情から禁酒をしている私ですから、季節外れの蚊を追い払いながらの散歩だけで帰りました。

　クーラーのよく効く部屋で観光パンフを見ると、やはり今帰仁城跡はかなり素敵なところらしく、世界遺産にも登録されているのですが、あまりにもバス便が少なくて訪れることができなかったのが心残りではありました。自転車で走れない距離でもなかったのですが、あのアップダウンを考えると、断念しないわけにはいかなかったのです。自動車で来たり、時間に余裕のある人は、是非とも訪問したらよいのではないでしょうか。

　素敵な砂浜が多く点在し、橋でつながっている古宇利島も観光的にはずいぶんと開けている今帰仁村、のんびりと滞在してみたいところです。

沖縄県島尻郡伊平屋村

<ruby>伊平屋村<rt>いへやそん</rt></ruby>

北緯27度02分21秒　東経127度58分07秒
面積21k㎡　村人1108人　財政力指数0.08

　今帰仁の運天港からフェリーに乗るのですが、ありふれた船だと思って乗船したところ、素晴らしく心地よいフェリーでした。まず前方が開けて突出していて、自分自身がダイレクトに海をかき分けて進んでいるような気分になれるのですが、本当に気持ちいいのは後部デッキなのです。

　最後部までデッキが伸びていて、跳ね上がって固定された車両通路が真横から眺められるのですが、いざフェリーが走り出すと、スクリューがかき立てる白い泡が真下に望まれてすごい光景。

　複雑この上もない動きを見せる泡とエメラルド色の海水が渾然一体となってみごとな航跡を描き出す、そ

の最初の誕生部分が連続して観察できるわけで、思わず飛び込んでみたい衝動に駆られました。伊平屋島に渡るフェリーには、自死願望のある人は、乗らない方が無難だと思います。

前泊港について、すぐに村役場に走ると、裏がきれいなポスターになった観光パンフをくれましたが、あれはいいアイディアだと思いましたね。だってそのまま捨てられる運命のパンフレットが、少なくとも何人かの部屋で活用されるのだもの。

そのパンフにも「**日本皇紀・琉球王朝のルーツ、神々と伝説が息づく島**」と気合いを込めて案内されている伊平屋島ですが、あいにくと滞在時間が40分しかなくて見物できなかったと正直に告白してしまいましょう。だから見所を紹介できないのが残念ですが、コミュニティバスがこの時点では一日6本走っている伊平屋島、是非みなさんにはお泊まりで訪れて欲しいと思います。

第1章
第2章
第3章
第4章
第5章
第6章

沖縄県島尻郡伊是名村
いぜなそん

北緯26度55分42秒　東経127度56分28秒
面積15k㎡　村人1250人　財政力指数0.11

　この島にも運天港からフェリーで渡るのですが、やっ
ぱり滞在時間が一時間半くらいしかなくて、充分な取
材ができそうにないのです。ともかく一番に村役場に
行くと、ここには観光課もパンフレットもなくて、今
来たばかりの港にあるというではありませんか。それ
ならとばかりに別な道を走って港に向かいましたが、沖
縄入りして初めて、本格的なサトウキビ畑を見ました。
　見たというよりも、畑の中を自転車で突き進んでい
くといった方がわかるでしょうか、ともかく視界全部
がサトウキビで、本当に風に揺らめいて「ザワワザワ
ワ」と音を発しているのです。たったそれだけのこと
だけど、生きてる！って感じがしましたよ。

　港の観光案内所の娘さんもそうだけど、それ以上の沖縄美人がその奥にあるカフェのおかみさんで、なんだか本州には絶対にいないまでの不思議な魅力を発散してましたなあ。ちなみにこのカフェでおいしいのは、トーストハムエッグです。

　周囲16キロほどのあまり大きな島ではないから、自転車でのんびりと外周道路をサイクリングするのはとても快適だろう、と思います。

　名勝もお祭りも多く、トライアスロンなども開催されるから参加するのもいいでしょう。宿泊施設なんかも充実していそうだから、本当は一泊してみたかったけれど、何しろ限られた予算と日程の中で沖縄に散在するすべての村を巡るという目的があるから、中途半端な報告になったことも許してください。

　内花港からは伊平屋島行きの渡船がチャーターできるから、一日でふたつの島を訪問することも可能ですが、私みたいに突撃取材だとか、二つの島での釣果を競うなんて事情でもなければあまり意味がないかも知れません。

　余談ですが、那覇空港から直通で運天港までくるバスがあるから、日帰りでの伊是名・伊平屋めぐりも理論上は可能だけれど、そんな弾丸ツアーでなく、是非とも数泊づつして、のんびりと釣り三昧でもしてみたい両島でありました。

沖縄県国頭郡大宜味村
おおぎみそん

北緯26度42分06秒　東経128度07分13秒
面積63㎢　村人3036人　財政力指数0.28

　大宜味村役場を訪れ、観光課の職員に見所を聞いた時の答えが「道の駅」です、でした。れっきとした村役場職員で、しかもれっきとした観光課に所属していながら、見所が道の駅とは、あまりにも無知無定見ではないでしょうか。

　確かに東京からわざわざこの村を取材に来る人はいないかも知れないけれど、少なくとも観光課の職員ならば、どんな状況下でも即座に5カ所程度のおらが村のみどころをあげられなければ駄目でしょう。私がほとんど事前の情報なしで現地を訪れるのも、現地の現在の状況を大事にしたいからであって、こりゃ駄目だと思いましたね。

　だからこの村はこれだけで終わりにしようと思った
のですが、付け足しのようにくれたパンフレットを見
れば、どうして中々見るところがいっぱいあるじゃな
いですか。

　中でも村役場から徒歩5分の場所にあるという、大正
時代にコンクリートで作られた旧役場庁舎は、古くて
情緒のある建物好きな私としては、是非とも見たかっ
たですね。だからこそ、観光課の職員さんは、常日頃
から自分の村の見所を10カ所くらいは即答できるよう
に心がけておいてくださいね。

沖縄県国頭郡国頭村（くにがみそん）

北緯26度44分44秒　東経128度10分41秒
面積194k㎡　村人4421人　財政力指数0.26

ヤンバルクイナの生息地として名を馳せる国頭村は、

沖縄本島の最北端にあって、総面積は194キロ平方、村土の大部分が山林原野で占められている自然豊かな山紫水明の村であります、とパンフレットにある国頭村の辺土名バスターミナルに着いた時には、もうとっぷりと日も暮れて、心細いこと限りなし。

　バスターミナルというからには、休憩所やトイレ施設もあるだろうから、最悪の場合はそこでテントを張ろうと思っていたけれど、実際には折り返しのためのやや広い土地があるだけの辺鄙な場所でした。

　商店はかなりあるけれど、宿屋が廃業していたりで、本当に浜辺でテントになるかと思った時、国頭ホテルの看板が目に飛び込んできました。さっそく当たってみると、さいわいキャンセルがあって部屋がひとつだけ空いているとのこと、ハブを恐れながらの野宿にならなくてひと安心。

　辺土名は村の入り口にあって、北と東にずうーっと広がっている国頭村だから、とても自転車では回りきれないし、村役場の写真は撮れたから良しとしましょう。時間的に余裕があれば、自転車で走り回ったり、コミュニティバスで奥（こういう地名の場所がある）まで行ってみたかったけれど、もしも車で来る人がいたら、是非ともヤンバルクイナや他の貴重な生き物を轢かないように注意して走ってくださいね。

沖縄県国頭郡東村

ひがしそん

北緯26度38分00秒　東経128度09分25秒
面積81k㎡　村人1600人　財政力指数0.15

　ここまですいすいと書き進んできているけれど、実際にはバスでの各地探訪はかなり大変で、どう大変なのかに少しだけ触れてみます。まずバス路線としてはかなり充実していて、ほぼ全島にわたってバスだけで訪れることが可能だということがいえるでしょう。那覇バスターミナルで貰える路線図を見ると、行き先からたどってバス番号がわかりますから、その乗り場で待てばよいのですが、稀に急行なども混じっていますからご注意を。

　沖縄全島に張り巡らされたバス路線ですが、大宜味、国頭、東村のいわゆるやんばる三村に限っては、西海岸沿いの中途半端な辺土名まで通じているだけで、あ

とはまったくの空白地域となっているのです。色別に走っているバス路線が印されていない地図は、かなり空しくて、なんだか可哀想になってしまいましたが、それが現実であればそれなりに対応するしかありません。

　国頭からの帰りのバスで運ちゃんに聞いてみると、途中停留所の大兼久か白浜からの東村経営のコミュニティバスで行くしかないとのことでした。まだそこまで戻ってもいなかったので、バスを降りてコミュニティバスに乗りかえるという方法もありましたが、私は名護まで乗り続けました。バスの運ちゃんを疑うわけではないけれど、情報はより確かな方が良いわけで、名護バスターミナルで聞いたのですが、あいにくまったくわかりません。

　そこでまた同じ道を戻りましたが、問題はどちらのバス停でコミュバスをつかまえられるかで、時刻表もないので悩んでいたところ、手前の大兼久にバスがあればそこで下車すればよいし、そこに止まっていなければその先の白浜まで乗った方が良いだろうとの運ちゃんの提案が図星だったのです。

　白浜で確かめてみると、次のバスまで30分待ち程度の11時47分発でラッキーでした。だって第1便は8時発で、国頭からの帰りのバスで降りたとしても、同じ第2便まで待つ羽目になったからで、しかも今回は那覇BTに自転車を置いてきているという身軽ないでたち

なので余計に身も心も軽いのでした。ちなみに折りたたみ自転車は、バス停の柵にチェーン錠で縛り付けたのですが、誰にでもお勧めできるというテクニックではありません。

　路線バスからも見放されたくらいだから、さぞかししょぼくれた村落だろうと見当をつけていった東村でしたが、どっこいなかなか開けたところでびっくりしました。有名なところではゴルフの宮里三兄弟の出身地であり、パイナップルの生産量は日本で一番だとの話もありました。

　ここは修学旅行の受け入れ先としては先駆的役割を果たしたが、今は他の自治体もマネするようになって、今では民泊や山村留学に活路を見いだそうと努力しているとは村役場職員の話。

　波静かな湾内や、いくらか遡った河でカヌー遊びをしている高校生達もいっぱいいましたが、驚いたのはマングローブがいっぱいなことです。熱帯の島特有のマングローブ樹が川岸にびっしりと生えていて、気分はすっかり南洋気分ですが、それもそのはずで、ある場所ではここでいうところのヒルギ畑まで作られていて、国指定の天然記念物でもあるヒルギの北限だから、余計に力が入っているのだろうと推察されます。

　他にも見所はあるけれど、3種類もあるというヒルギの根っこが露出している河岸を見るだけでも、東村訪

問の意義があったと大満足で帰路につきます。帰りは
大兼久行きだったから、名護までのバス代がいくらか
安かったけれど、それにしてもいずれのコミュバスも
無料とは、なんだか申し訳ないような東村訪問でした。

沖縄県国頭郡宜野座村

北緯26度28分54秒　東経127度58分32秒
面積31㎢　村人5992人　財政力指数0.30

　ここをグルメ村というと大げさかも知れないけれど、
それなりに充実していそうなことは確かみたいです。
みたいだというのは、実際には訪れて自分で食してい
ないからで、そんな気になってしまったのは村役場で
136ページもある小ぶりな宜野座手帖をくれたせいなの
です。
　何度も書いている通り、村役場を訪れて観光課職員

から話を聞き、あればパンフレットをもらってくるという条件を守って取材旅行を続けている中でも、これほどまでに分厚い観光紹介ブックは宜野座村にとどめを刺すのであって、敬意を表して食べるページから抽出してみました。

　ガーデンテラスから覗く、南国の風景を見ながら極上ランチ

　衝撃のメガ天ぷら！　腹ぺこでメンソーレ

　お膳の上に揃う「美味しい沖縄」の饗宴

　広島産牡蠣と、海人（漁師）店長自慢の新鮮魚介を豪快に炭火焼きで！

　素材の旨味たっぷり、そばを召し上がれ！

　ふんわり新食感の麺がやみつきに

　アットホームな空間で優雅なランチタイムを

　森の中でひと休み、彩り豊かな贅沢ランチ

　無添加ソフトクリームの濃厚なミルクの味わい

　自然素材にこだわった素朴な田舎風のパン

　懐かしくって新しいちょっと特別なおやつ達

　ふんわりパンとフリードリンクでひと息

　美味しい理由＝生産者のこだわり＋料理人の素材への想い。

　お酒のおともに絶品島ぐぁー料理

　家族で楽しめる本格和食の海鮮居酒屋

　集いの真ん中にある心のこもった「旨いもの」

真心の詰まった彩り豊かなお弁当

家庭料理の温もりがたっぷり！

ふんわり優しいポーポーでひと休み

その場で揚げるからアチコーコー

遊び心と探究心が生み出すジャム

　以上が食のページからひろったキャッチコピーですが、ポーポーてなんだ、アチコーコーてなんだ!!　なんて気持ちに引っかかりができた人は、もう行くっきゃないでしょう。

　ついでといってはなんですが、宿泊施設もかなり充実しているみたいで、同じように目についた惹句をあげてみます。

セカンドハウス感覚で暮らすように過ごす旅

緑と静寂に包まれた丘の上の小さなホテル。

じいじのアイディアでコンテナを大改造。

遠く伊計島を望む抜群のオーシャンビュー。

「農林漁家民宿お母さん100選」に選ばれた宿

テラスから降りると目の前はプライベートビーチ

透き通った満点の星空は圧巻です

静寂の海で幻想的な夜をお過ごしください

ファミリーでのご利用にオススメの一戸建てタイプ

隠れ家的ペンションをお探しの方に最適です

BBQに夜の花火、広い芝生の庭は自在の使い方

南国の花やフルーツに囲まれて過ごす休日を

本格的な厨房機器を完備、料理好きに嬉しい

全室オーシャンビュー、おとなのプライベート空間

　他にもよりどりみどりの感動体験ができる宜野座村、本当にもう、行くっきゃないでしょう。

沖縄県国頭郡恩納村

北緯26度29分51秒　東経127度51分13秒
面積50k㎡　村人11330人　財政力指数0.47

　恩納村の村役場は、これでも村役場ですか？　と驚くくらいに立派で、おそらく財政がよっぽど潤っているのだろうと想像されたが、その予想が正しかったことはすぐに証明されます。

　ここでの見所は、役場の人も一番にあげた満座毛ビーチからの夕焼けですが、もう陽もとっぷりと暮れ落ちていて、バス停にくくり付けた自転車のチェーンを外

すのも一苦労。

　暗くなったルート58を、スピードオーバーの警告音を無視してバスは素敵に飛ばすのですが、このいわゆる西海岸のにぎやかさが半端ではないのです。世界中の有名どころのホテルが林立し、松明をいっぱいかかげた飲食店が大繁盛していて、ここはハワイなのか？

　北に行く時には高速道路だからわからなかったけれど、今どき不景気な場所なんてどこぞにあるのかね、なんて繁盛ぶりは、はたしていつまで続くのでしょうか。

沖縄県島尻郡粟国村

北緯26度34分56秒　東経127度13分38秒
面積7.65km²　村人646人　財政力指数0.10

　トマリンの愛称で親しまれている泊港を出た頃には、那覇の空からは景気よく雨が落ちて来て、視界がまっ

たくきかなくなっていました。それが大げさでない証拠には、海をかすめるようにして空港に降りようとした飛行機が、あまりの悪天候に着陸をあきらめて上昇していったことでもわかりますが、あの飛行機は何度目かの挑戦でうまく降りられたのでしょうか。

この船には高校生が30人ほど乗っていたので、伊是名便みたいに大さわぎになると覚悟していたら、案に相違のみんなでグーグー高いびき。港に着くと、お出迎えの横断幕に「**修学旅行お帰りなさい。九州で吸収してきたかい？**」

粟国村役場には観光パンフレットが一枚きりで、港の観光協会にはもっと用意してあるとのこと、どうせ帰りに寄るのだからとチャンポンでお昼にしました。

腹ごなしのつもりで走り出しましたが、この島のアップダウンのきついことと来たら、ヤワな観光客が電動自転車を借りても登り切れないだろうくらいの急坂があって、かなり往生しました。

それでも鍾乳洞までいくとおじさんがいて、問わず語りに話すには、200年も前に那覇で問答に負けた僧侶が島流しのようにこの鍾乳洞に押し込められ、その生涯を閉じた場所だとのこと、道理で怨念みたいな空気がこもっているはずでした。

粟国島の道路には緑色のラインが引かれていて、それをたどっていくと名所旧跡を訪れることができるの

ですが、また別な急坂があるかと思うとぞっとして、見当でサトウキビ畑を突っ切っていくと、うまい具合にマハナ展望台の灯台の真下に出られました。

　ここからの見晴らしは絶景で、切り立った断崖絶壁の縁まで行けばスリル満点ですが、やっぱり自殺願望の人は行かないように。

　岬のカフェでコーヒーブレイク、なだらかな坂を快適に下っていたら、途中の東ヤマトゥガーを通り過ぎてしまい、大汗をかいてまた登りました。だけど苦労した甲斐があって、せまい岩が切り立っているそこは玄妙な雰囲気で、これをパワースポットというならそうなのだろうなあ、と納得させられたのでした。

　この島では、1999年公開の「ナビィの恋」という映画が撮影されていて、その舞台ともなった海辺のテラスを楽しみにしていたのですが、見るも無惨に崩れ落ちていて通行禁止になっているではありませんか。村の財政規模がどれくらいか知らないけれど、あんなテラスを直すのにさほど莫大な費用もかからないのだろうから、有力な観光地として修理したらいかがでしょうか。

　港近くの公園にあったブランコに揺られながら、帰りのフェリーを待てばよいのだから、本当にお気楽な取材旅行ですね。那覇から2時間ほどで訪れることのできる粟国島は、他にもいっぱいの見どころがあるた

のしいアイランドだけど、フェリー料金がちょっとばかり高いような気もしますね。

沖縄県宮古郡多良間村
北緯24度40分10秒　東経124度42分06秒
面積22㎢　村人1047人　財政力指数0.11

第1章

第2章

第3章

第4章

第5章

第6章

　今回の旅でいちばんの心配は、多良間島へ渡る手配ができていなかったことです。宮古島まではフェリーがあるけれど、多良間に渡るにはどうしても飛行機利用しかなくて、その組み合わせがうまくいかないのです。多良間村ひとつ探訪するのに三日もかけるわけにもいかず、両方とも往復飛行機を使うことになりましたが、問題は費用がいくらかかるのかの一点。

　出発前には手配できずに、現地での調達となって一抹の不安を抱えながら乗り込んだ那覇で、さっそく動

き始めましたが、危ないところで高い切符を掴ませられるところでした。

　国際通りには沖縄ツーリストがあって、朝一だからまだオープンしていなかったのです。ぶらぶらしていると脇道に国際観光の看板があり、航空券も手配しますとのことで、こちらの方は窓口が開いていたので交渉に及びます。どうせこわいのを我慢して乗るからには、窓側に座って景色を眺めなければ損だと意固地に思っている私のリクエストにこたえて、全部窓側の往復で取ってくれた料金が30200円でした。

　たった一日の交通費にしては飛び上がるほどの金額ですが、フェリーと組み合わせると泊まりがけになってその程度の費用はかかってしまうのだから、思い切って購入したのです。

　これでひと安心ですが、そこは転んでもただでは起きない旅好家の私、その足で沖縄ツーリストに出向き、まったく同じ条件で頼んでみました。すると8000円以上も高い料金を提示してきたので、内心でホクホクしながら外に出てきました。だって一泊800円なのですから、単純計算で10泊もの料金が節約できたわけで、なんとラッキーなのでしょうか。

　そして宮古までいく間には、料金分を一気に取り戻すほどの素晴らしい出来事にも遭遇したのです。南西方向に飛行機が飛ぶから、朝日は左後方から射すこと

になり、その影が右側の窓に座った私の視界にずーっと映っています。海に映っていた黒い影は、雲があるとそれをスクリーン代わりにしてくっきりと浮かび上がるのですが、雲がびっしりと空にかかったとたん、まん丸い虹の中にすっぽりと飛行機のシルエットが。

　まるでよくできたデザインでもあるかのように、完璧に丸い虹の中に収まった飛行機の影が雲のスクリーンを進んでいくのは、まるで映画の一シーンのようでもあって感激でした。

　そんな感動的な情景を見られたのは、同じ飛行機に乗り合わせた50人の内の数人であって、しかも外を見ていなければ見逃してしまうのだから、これがラッキーでなくてなんでしょう。

　パリ行きの夜行便で、真夜中の眼下に陸と沼（海？）が複雑に入り組んで月光に光っている情景にも感激しましたが、それに匹敵する圧巻の飛行機虹ショーでした。

　多良間空港からはエアー便の発着に合わせて、村中心部への連絡バスがあって、山羊に見送られてサトウキビ畑の中を疾走するのがおんぼろでした。年代物であっても、そこは毎日なくてはならないバス便だから、とにかく村役場前にはついたのですが、あいにくと土曜日でシャッターがぴしゃりと閉まっているのです。土日でも玄関は開いていて、数人の職員が出勤してい

る役場もありますが、ここが完全にシャットアウトしていた理由はあとで判明します。

　近くの体育館から歓声が聞こえるので行ってみると、幼稚園と小学校合同の学習発表会で、暇つぶしといっては語弊がありますが、とにかく時間つぶしに入らせてもらいました。おそらく年に1回だけの発表会にぶつかったのも何かの縁、ありがたく見学させてもらいましたが、これがテレビのくだらないバラエティよりもよっぽど見応えがあるのです。

　合唱、跳び箱、淡水レンズについての研究発表などがありましたが、特筆すべきは6年生の進路希望でしょうか。男の子の希望は海上保安官と自衛隊員が多かったのですが、島に残って両親の面倒をみるには、他に選択肢もないのだろうと思うと切ないものがありますね。

　そこにいくと女の子は割とあっけらかんとしていて、美容師、ヘアースタイリスト、獣医などのまともな職業名が挙げられる中で、ひとりだけ欅坂46になりたいという女子がいましたが、はたして商売上手なアキモト先生はあの子を採用してくれるのでしょうか。

　最後には幼稚園児と小学生の全員での合唱がありましたが、今は平和な島のあの子達の未来に幸多かれと願わずにはいられませんでした。現実に戻って空腹を覚えた私は、みどりや旅館で沖縄そばを食べましたが、ここは村で唯一といってもいいくらいの通年営業して

いる食堂みたいでした。

　散歩がてらに歩いてみると、由緒正しげな多良間神社があり、その奥は南洋のジャングルめいた様相を呈しています。バナナやパパイヤの木が自生し、大きなハスの葉っぱが折り重なっている光景は、ちょっと他では見られないダイナミックさに満ちています。更に先の父母の森にも大木があり、その先は足を踏み入れるのがこわくなってしまいそうなうっそうとした茂みで、もちろんハブが怖いから私は入りませんでした。

　帰りのバス便には早いけれど、他にすることもないから村役場前に戻ると、奥の方からにぎやかな談笑の声が洩れ伝わってくるではありませんか。覗いてみると役場横の広場で酒盛りの真っ最中で、どうやら職員の慰労会らしいのです。

　議員も村長もいるみたいだから、よっぽど挨拶して情報をもらおうとも考えたのですが、みんなの酔っ払い具合をみて二の足を踏んでしまいました。だって何を飲んでいるのか知らないけれど、みんながべろべろに酔っていて、しゃべっているろれつまで怪しいんだもの。

　そんな人たちからまともな話を聞けるとも思えないし、私自身は禁酒していて酒も飲みたくないから知らんぷりをしていたけれど、まさかあの酒盛りは、毎週土曜日ごとに開催しているのではないでしょうね。

空港行きのバスは時刻表よりもかなり早めに来たけれど、あれも沖縄時間だったのでしょうか。悪天候で出発が遅れるとのアナウンスがあり、かなり空港で待たされたけれど、宮古到着が遅れたにしても、かならず別便で那覇までは帰れるはずだからと考えると、まったくイライラせずに過ごせました。

　こんなところが自分でもずいぶん精神的に成長したなあと、妙なところで感心してしまった多良間村訪問記でありました。

沖縄県島尻郡渡名喜村

北緯26度22分20秒　東経127度08分28秒
面積3.87㎢　村人304人　財政力指数0.09

　ほとんど情報を集めないで行った今回の取材旅行中、一番感動させられたのがこの渡名喜島でした。那覇泊

港から出る久米島行きフェリーが途中寄港するのが渡名喜島で、ここまでは2時間弱といったところです。

島に近づくにしたがって、どこに人が住めるのかと思うほどの断崖絶壁の連続で、大昔に隆起によってできたことを証明する褶曲なども岩肌にくっきりと刻まれています。

ところがフェリーが裏の方に回っていくと島の表情が一変、なだらかな緑の丘に包み込まれるようにこぢんまりと集落が開け、つつましやかな港が現れました。

久米島まで乗っていく人が圧倒的に多い中、パラパラと上下船する人に交じって島に降り立った私は、なんとなく心誘われるままに海沿いの道を右手にとったのですが、パターゴルフ場を過ぎ、カーブを曲がると、すぐに珊瑚礁の海が開けていて感動しました。

浜に降りると、砂に混じってサンゴのかけらが散り敷かれ、あらゆる青色がだんだら模様で連続している浅瀬から、心地よい風とともに穏やかな波が遠慮がちに押し寄せてきます。そこは今まで訪れた浜辺では最高に気持ちのよい場所で、私は思わず裸足になって海に入っていきました。

心まで洗われるような爽やかな波に足を撫でられること十数分、これ以上ない至福の中で頭に浮かぶ言葉が「クセジュ」とは、私の前身は仏蘭西人だったのかも‥‥。

時期外れでもあり、日曜日でもあったせいか、唯一オープンしているフェリー乗り場の島豆腐屋さんで沖縄そばを食べましたが、同じ料理名でも店によってかなり見栄えや味が違うもので、沖縄そばも奥が深いですね。

　いよいよ集落に入ろうと、沖縄で一番短いといわれる役場前の県道を突っ切ると、そこからは想いもしなかった素敵な小道が続いていました。未舗装の土の道にはびっしりと海砂が敷き詰められていて、落ち葉すらこぼれ落ちていない砂の小径にはヤツデで掃いたあとがきれいに残っています。

　白い海砂が敷かれた小径がまっすぐに、あるいは少しだけくねって交差しているだけでも素敵なのに、その可愛らしい道を守るかのようにフクギ並木が続いているのです。樹木のトンネルのようになった先には、うっそうと茂ったフクギのわずかな隙間を突き破った木漏れ日が白い道を点々とスポットライトのように照らし出して、白昼の幻想美すら覚えます。

　しかも白砂の小径から一段と低くなった両側に、沖縄特有の赤い屋根の家がたたずんでいるのだから、ある程度の年齢の日本人ならばどこか郷愁を駆り立てられずにはいられないでしょう。

　ちなみにこの島は、以前に「群青」というタイトルの映画になった場所で、待合所にポスターが貼られて

いましたが、映画の舞台となった場所の保存には熱心ではないらしく、それなりに荒れ果てていてわびしいものを覚えました。

　そんな郷愁を誘われる中を自転車でゆっくりと走り回ったのですが、浅い砂道の至る所にへこんだ場所があるので、慣れるまでは前輪を取られて大変でした。

　そのささやかなメインストリートにはフットライトが完備しているので、夜はさぞかし幻想的な情景となるのだろうと想像できますが、残念ながらお泊まりはできませんでした。島にはいくつかの宿泊施設もありますが、バスタオルだけはかならず持参してくださいとパンフに注意書きがあるのはなぜでしょう。

　これからもたくさんの村を回るでしょうが、集落のたたずまいとしてはおそらく最高に素晴らしいと思われる渡名喜村、マリンスポーツに興じられない年配者であっても、泊まりがけで滞在することをお勧めします。バスタオルを持って‥‥。

第1章
第2章
第3章
第4章
第5章
第6章

沖縄県中頭郡読谷村
よみたんそん

北緯26度23分46秒　東経127度44分40秒
面積35k㎡　村人41655人　財政力指数0.53

　宿に自転車を置いてバスに乗ったことをすぐに後悔
したのが、読谷村取材でした。

　喜名停留所でバスを降り、看板を見ると村役場まで
はかなりありそうなので、ここは無理をせずに客待ち
をしていたタクシーを利用することにしました。歩け
ば小一時間くらいはかかりそうだから、800円はよし
としましょう。

　乗ってすぐに運ちゃんが「読谷村は人口が日本の村
で一番に多い」と自慢したのですが、行けども行けど
も草原に人家がぽつぽつと点在するだけで、いったい
どこに村人が住んでいるのだろうといった感じだから、
その通りに疑問を発すると、「ここは返還された飛行

場跡地だから、これから発展するのだ」といわれて納得しました。

　村役場はそれなりに立派で新しく、観光課の職員も熱心に村のよいところを力説してくれて、どこぞの「名所は道の駅」とは大違いです。

　帰り際に秘書課の前を通ると人がいたので、「村長さんのお話が伺えたらありがたいのですが」と切り出すと、「名刺はお持ちですか」。これは大いに脈があると自作の旅好家と入った名刺を出すと、ほどなくして恐れ多くも村長さんがお出ましになりました。さすがは選挙で選ばれた村長さんだけあって、カリユシ姿もビシッと決まっています。

　2014年以来の村人口一番の記録保持、沖縄で唯一の延長14キロにおよぶ自然海岸、それを守る600ヘクタールのラグーン、三味線発祥の地、陶製の巨大なシーサー、織物と焼き物で3人の人間国宝輩出などなど、数字を交えた正確な情報がポンポンと出てくるなんぞ、やはり村長さんは偉いですねえ。

　中でも面白いと思ったのは、30×5メートルの生け簀でジンベエザメと一緒に人間がスイミングできるとの話で、イルカとのふれあいは聞くことがありますが、ジンベエザメと泳げるのは、日本ではここだけではないでしょうか。

　今日の予定は読谷村だけなので、村役場と村長さん

の表敬訪問を終えた私は、コミュニティバスを活用して村めぐりをしましたが、なるほど海沿いの方はずいぶんと開けていて、かなり活気があるばかりでなく、不思議なしっとりとした賑わいを漂わせているみたいです。恩納村みたいに底抜けの明るさとも違う読谷村は、リゾートと保養地と生活地の三つを兼ね備えたパラダイスだ、と言ってしまうと褒めすぎかな。

沖縄県島尻郡北大東村
きただいとうそん

北緯25度56分45秒　東経131度17分57秒
面積13㎢　村人555人　財政力指数0.13

　村のある島々の中でも、飛び抜けて遠い両大東島は、沖縄本島から東に160キロも離れているので、飛行機で1時間以上、船では15時間ほどかかるのです。
　貧乏旅好家としては当然船で行くのですが、トマリ

ンから何度もフェリーで出入港する際に、端っこの方で肩身も狭そうに荷役作業をしている船に「だいとう」と書いたのが見えて、まさかあんなちいさな船じゃないだろうなと思っていたら、まさかのまさかでした。

　だって近くの島に渡るフェリーから比べても、おとなと子供くらいの差があるのだから、不安になってしまいますが、今更中止にもできません。

　ところが出港当日の朝になってから、北大東島の役場から電話があって、「船のスケジュールが変更になったらしいけど、どうしますか？」、なんて聞かれて困りました。先方も詳しくはわかっていないので、とりあえず港の事務所に出向きましたが、ここでも混乱しているのです。

　要は波のうねりが高くて、荷役ができるかどうかもわからない、ましてや人の乗り降りなどは保証できない、ということなのです。あまりにも不確定要素が多くて、事務所でも判断に迷っているのですが、現地で上陸できるにせよ、できないにせよ、同じ船で南大東島経由で那覇までは戻ってこられるはずですから、意を決して船に乗り込みました。

　定刻の17時に桟橋を離れた船は、空港を飛び立つ飛行機の下をくぐり、きれいな夕焼けに染まる沖縄本島を左手に見てしばらく進み、やがて真東に向けて大きなうねりの中を突き進んでいきました。

第1章
第2章
第3章
第4章
第5章
第6章

あいにくと空には厚い雲がびっしりで、期待していた天の川を見ることもできずに、早めに寝てしまうことにしましたが、船が小さいだけあって揺れ方もすごいのです。

　タッピングにローリングが混じって、猛烈に複雑な動きを見せるのですが、私は大西洋で8メートルの大波をも乗り越えてきましたから、ぐっすりと寝られました。

　翌朝のデッキで驚いたのは、手すりといわず舷側といわず、外にむき出しになっている部分にはびっしりと塩がかたまりになって付着していることでした。船にとっては厄介者でしかないのでしょうが、たとえば目の細かいネットを用意しておけば、一晩でなんキロかの海塩は確実にとれるでしょう。ビジネスとして成り立つかどうかはわかりませんが、あれらの純粋な自然塩をそのままふるい落としてしまうのは、ちょっともったいない気がしましたね。

　やがて船の進行方向に同じような形をした大小の島が見えてきて、小さな方の北大東島の島端には白亜の灯台がそびえています。おそらく国際的に決められているであろうリズムにしたがって、純白の光を投げている灯台ですが、やがて朝日が後ろから昇ってくると、その灯台とみごとに重なり合って、まるで後光が射しているかのように素晴らしい光のシンフォニーを奏で

始めました。自然現象と人工美が渾然一体となった競演が見られただけでも、船賃は取り戻したような気分になれた素敵な朝でした。

　更に船が進んでいくと、切り立った崖が続く一角だけが削られて、コンクリートの波止場になっているのが見えてきましたが、妙に薄ら寒く感じるわけは、大きなクレーン車とコンテナがあって、それだけしかないからです。どこの船着き場にも共通している移動式タラップもない殺風景なスペースの奥には、大きな鳥かごみたいなものが置いてあって、あとは十数人の作業員がいるばかり。

　いよいよコンクリートの波止場に近づくと、いかにも邪魔なところにいるなあと思わせていた小さなボートが船からのロープを受け取り、沖の方に運んでいって目印のあるアンカーに結び、もう一度離れた場所で同じ作業を繰り返し、最終的には2本の太い引き綱で船が波止場とは反対側にしっかりと係留される形となったのです。

　船の舳先からは手投げで2本、艫（とも）からはガンで発射された2本のロープがそれぞれに波止場につながれて、結局のところ本船は6本の引き綱でつなぎ止められる形となったのだけれど、それらのロープは船の揺れに伴って、可哀想なほどにぴーんと張られ、次には甘やかされるかのようにダラーンとゆるめられるの連続で

111

あって、世界広しといえどもあれほどの働きを見せるロープ君達は他では見られないでしょう。

　その固定された位置はコンクリ波止場から10メートルほど離れたところという、まことに中途半端な状態で、相変わらず船は大きなうねりに翻弄され揺れ続けているのであって、防波堤も作れない外海に面した波止場では、あれしか荷役作業の方法はないだろうと、妙に納得させられる接岸方法ではありました。

　波止場から伸ばされたクレーンがデッキに達すると、手荷物を持った下船客が、いかにも場違いに見える大きな鳥かごに入って吊られていくではありませんか。3人ばかりの島民が当たり前みたいな顔つきでカゴの人となり、大きなクレーンで吊られて運ばれるのを見てコーフンしているのは私ばかりで、作業員も船員も不思議でもなんでもない表情をしているのが不思議でした。

　その後にコンテナなどの荷物を積み込み、最後にもう一度鳥カゴを付けての乗船客の乗り込みがあって作業は完結です。

　こんなことなら私も最初の下船客カゴで上陸して、自転車で村役場に走ってすぐに引き返し、最後の乗船カゴで戻るのも可能だったと思いましたが、それも現地に来てからわかったことであって、揺れ続ける船から島を眺めるだけで終わってしまった北大東島訪問で

した。

　この作業中に新たな情報がもたらされ、低気圧が接近しているせいで南で一泊の予定が4時間の停泊となったとのこと、それでもカゴに乗せられての上陸はできるみたいで、ああ、楽しみ。

沖縄県島尻郡南大東村
みなみだいとうそん
北緯25度49分43秒　　東経131度13分55秒
面積30㎢　　村人1233人　　財政力指数0.14

　ずっと昔に「アイフル大作戦」なんてテレビ番組がありましたが、まさに南大東島はアイフルアイランドでした。

　崖を削って作られたコンクリ打ちっぱなし波止場に大きなクレーン車、2台のフォークリフトといくつかのコンテナ、乗客待合所と例の巨大鳥かごがあって、

そこまでは北と同じ風景でしたが、違っているのはすぐ近くに建物が見えることで、それだけでもずいぶんと開けた感じがするものです。

　船はやはり岸壁から10メートルほどのところに係留されて、左右に大きく揺れ続けているのですが、そんな船の後部デッキに鳥カゴがおろされました。

　意外とヤワな造りの鳥カゴに8人ほど乗り込むと、気休めのロックが外からかけられて4本の吊り上げロープがピンと張ります。緊張する間もなくカゴが揺れて持ち上がると、にわか運命共同体の8人を乗せたままで横にスライド、打ち寄せる波の音の中であっけないほど静かに待合所の横にソフトランディング。

　この間、ものの十数秒ですが、そんじょそこらの絶叫マシンよりはよっぽど楽しめた感じです。もっとも絶叫マシンは、年齢制限で乗れないのですが‥‥。

　サービスで船の上をグルッと一回りでもしてくれたら最高なのだけど、アトラクションじゃないからそこまでは望めないですね。それでも町工場で作ったような危なっかしいケージに詰め込まれ、大揺れの船からクレーンで吊られて上陸するなんて経験はここでしかできないものだから、船賃の何割かは取り戻した気がしました。

　ところでこの島は、波止場からいきなりの急な上り坂になっていて面食らいました。聞けば島全体の周縁

部が高く、内側に向かって低いスリバチ状になっているとのことで、いきなりの自転車押し歩き。

　役場で聞くと、一番の見どころは星野洞という鍾乳洞だが、見物には予約が必要とのこと、早速に電話をすると3時なら係員が行って見られるようにするとの返事でしたが、それでは船に間に合わないのです。

　そう事情を話すと、それなら工事関係者が1時に開けるから、そう言って中を見学してくださいとのことでした。他にも海軍棒プールとかサトウキビ列車とレール跡、ラム酒工場など、面白そうな場所はいっぱいあるけれど、船への帰り道と時間を考えると星野洞しか見られないのです。

　ちょうど昼時だったので、名物の大東そばを食べます。もうひとつの名物の大東寿司も食べたかったけれど、若い頃と違って量が食べられないから断念して、赤土のサトウキビ畑が延々と続く中を、不安を感じながら半時間走りました。

　畑の中にぽつんと看板があり、まだ作業員がお昼休みから帰ってこないので待機したのですが、その間にも緊張から解放されないのは、今にもハブがサトウキビ畑からニョロニョロと這い出て来そうな雰囲気が濃厚に漂っているせいです。

　やがて作業員が来たので、職長さんに断って一緒に洞内に入れましたが、なだらかに下っていく入り口部

分からムードが一変、中は湿度が異常に高くて他の鍾乳洞とはまったく様子が異なっているのです。

　説明を聞けばそれもそのはず、他のところは生長を終えたいわば死んだ鍾乳石の洞窟だが、ここ星野洞は今まさに生きていて、まだ成長を続けている過程だとのことで、道理でなまめかしいほどの艶めきがあるはずだと納得しました。

　乳白色の鍾乳石が天井から垂れ下がり、あるいは地からニョキニョキと突き立っている情景はみごとで、それが千坪もの空間に広がっているのだから、日本が誇る世界的な名所と言っても過言ではないと思います。

　船の時間もあるので、あまり奥までは入れなかったのですが、それでも生きている鍾乳洞の成長の歴史の一瞬に立ち会ったよろこびは深く大きかったのでした。

　120を越える数があり、一家にひとつは鍾乳洞を持っているといわれる南大東島でも、ケービングツアーのできる秋葉地底湖と並んで星野洞は双璧でしょう。

　ふたたび鳥カゴに吊られて船に乗った私は、冷房の利きすぎるロビーを逃れるようにデッキに出て、月明かりに輝く航跡をいつまでも見つめているのでありました。

第1章

第2章

第3章

第4章

第5章

第6章

沖縄県島尻郡座間味村

北緯26度13分44秒　東経127度18分12秒
面積16㎢　村人844人　財政力指数0.09

　フェリーと高速船合わせて、一日に往復それぞれ3便あるのでのんびりしていたら、波が高くて高速船の2便が欠航となってしまいました。だから予定を変更して、高速船で行ってフェリーで帰ることにしたのです。これだと座間味島の滞在が4時間ほどになってしまうのですが、結果的にはオーライでした。

　まず高速船が素敵に飛ばしてくれたのはいいのですが、デッキで海風に吹かれていようなんてロマンチックな思惑はすぐにすっ飛んでしまいました。息もできないくらいに風が吹き付ける上に、波しぶきがデッキを洗うような状況に、私以外にも数人いた外好き人間はやがて誰もいなくなってしまったのでした。

波止場から直線距離で100メートルほどの村役場まで、車もすれ違えないほどの細い道を愛車ダホーンで走ってたどり着くと、観光課は港にあるという、これまたデジャブなご対応です。

　一応見どころを聞くと、たちどころに古座間味浜と答えるから、迷わず行くことに決めたのですが、楽な道ではありませんでした。

　平坦な海沿いの道であってくれとの願いも空しく、行く手には標高83メートルへの急坂がそびえ立っていて、よっぽど断念しようかとも思ったのですが、それではなんの報告もできないから、例によって自転車を押して登りました。

　地元のおじさんの「日本一の浜だよ」との声を励みに、ようやく峠に出て、あとは海に向かってなだれ落ちていくばかり。

　結論から言えば、桂浜の間が抜けたような感じで、どうひいき目に見ても日本一じゃあないと思うけれど、それなりの雰囲気はかもしだしていました。

　帰りにお弁当屋さんで「マグロのづけとイカ丼」を食べましたが、あまりのうまさにびっくり仰天です。ちょっと醤油味のしみこんだ魚肉くらいの認識しか持っていなかったのですが、こちらのヅケはとろーり濃厚で、まさに目から鱗。あんなにうまいマグロのヅケは、東京では食べられないのでしょうね。

　帰りのフェリーが揺れて揺れて、前デッキにいれば波しぶきの洗礼、これじゃあ二回りも小さな高速船はとても走れないだろうと妙に納得しました。

　これでめでたく、沖縄にある全19村を踏破したわけで、別にえらくはないけれど、自分で自分を褒めたい気持ちにはなりましたとさ。めでたしめでたし‥‥。

◆番外エッセイ ────────────────

勝手に沖縄ナンバーワン

　宿泊‥‥2018年秋の段階では、間違いなくcamcam沖縄が最安値の宿だと思います。ドミトリーで1500円、天井下の畳スペースが800円という奇跡的な安さ。もちろん高級ホテルなみの快適さは望めませんが、私みたいに手足を伸ばして寝られさえすれば御の字という者にとっては天国です。

　秋口の那覇は過ごしやすくて、寝袋ひとつで快適だったのですが、真夏の暑さはとても天国というわけにはいかないのだろうと想像するだにおそろしいものがあります。

　居酒屋‥‥抱瓶（だちびん）がお勧めで、私はほとんどの夕食をここで食べました。量が多いものは半分にしてもらったりのわがままを聞いてもらい、オリオンノンアルビールを飲みました。美味しい料理が多いのですが、中でも海ぶどうは絶品で、あんなに新鮮でプチプチとした逸品は他では食べられません。お酒も種類が多く揃っていますが、ほとんどの人が泡盛を飲ん

でいるみたいでしたね。

　大衆の味‥‥「家庭料理の味24Hオープンいちぎん食堂」は
メニューが豊富で、私は伊勢エビとステーキ盛り合わせを食べ
ました。他にも和風、中華風、無国籍風なんでもござれで、食
べて良し飲んで良しのお店です。

　沖縄そば‥‥camcam沖縄近くの「やまや」の沖縄そばはう
まい。他のところでは、ヤギくさいというか、ちょっと独特の
香りが鼻についてなじめなかったりもするのですが、ここのス
ープも麺も具もシンプルなのに美味しくて、関東人の口にも合う
でしょう。お肉の入ったのもあるけれど、野菜そばがオススメ
です。それじゃあ、沖縄そばじゃないだろうという声が、どこ
からか聞こえてくるような気もするけど。

　カフェバー‥‥カリプソというかキューバンミュージックと
いうか、そんなノリのいい曲が道ばたまで聞こえてくるのが、
抱瓶をモノレールの反対方向に二区画ほど歩いた角の店で、二
階にある店の名前は失念しましたが、シックな調度とハバナ葉
巻の取り合わせがシックです。マスターは青雲の志をもって目
指した政治家への道を挫折、ハバナで本格的にモヒートの作り
方を勉強してきたという変わり者で、本場仕込みのモヒートは
そんじょそこらで飲まされるのとはまったく違ってグレードが
高いのです。私が禁酒中だというと、アルコール抜きでモヒー
トを作ってくれたのですが、思わずおかわりをするほどのおい
しさで、お酒は飲めないけれど本格的なモヒートは飲んでみた
いという人は、迷わず那覇に飛んでこの店に入り浸ること。も

ちろんアルコール入りのモヒートもあるし、ハバナから輸入した本物の葉巻も売っていますから、マスターにマナーを教わりながら、ゲバラ気分で紫煙をくゆらせてみるのもいいかも。ただし葉巻は、生半可な知識でおもしろ半分には吸わない方がいいかも知れないとは老婆心ながら。

　食べ放題‥‥県庁向かいのパレットビルに「沖縄菜園ビュッフェカラカラ」というお店があって、ランチメニューがおよそ80品目あって圧巻。シニア料金1200円は恐れ入りますが、太っ腹なのは時間無制限というあたり。野菜サラダ、揚げ物ご飯もの、そば類、パスタをはじめ、豚しゃぶからグルクンの唐揚げまであり、デザート類もバラエティに富んでいます。若い頃のようにはたくさん食べられなくなった私ですが、それでも松茸ご飯にカレーをかけたり、エスプレッソにソフトクリームをたっぷりのせたりの罰当たりな贅沢をしてやったぞ、ワイルドだろー。ディナーはもっと品数が増えるとのことで、その分料金も上がりますが、それでもシニア1400円だから、健啖家ならずとも充分に元が取れるでしょう。

　オープンスペース‥‥同じパレットビルの屋上は、南国の樹木と草花がいっぱいで、とても気持ちがいいのです。安全のために高いネット壁が巡らされているから、眼下に街を見下ろすことはできないけれど、それでも那覇の青空を一人占めすればリフレッシュできること間違いなし。いつ落ちるかわからずに危なくて仕方ないジェット戦闘機の轟音が響かなければ、あそこは天国でしょうに。

おやつ‥‥国際通り「わしたショップ」だけで売っている琉球だんごは3種類あって、どれも美味しい、だろうと思います。私は食べ放題直後でおなかがいっぱいだったから、シークワーサーだんごだけ食べましたが、「ひんや～り、トロ～リ、ノド越しがクセになる」のうたい文句通り、とても美味しかった。ノドに詰まったり誤嚥を起こしそうになる乾き物おやつが多い中、餡をくるんだ皮がなめらかなアンでくるまれている琉球だんごは、ノドに詰まらないというだけでも安心です。ただし三日しか日持ちしないので、おみやげというわけにはいかないから、店前のベンチで食すべし。

　おみやげ‥‥国際通りだけでなく、沖縄各地におみやげやさんがあり、人それぞれに好みもあって、いろんな品を選ぶのでしょうが、あえて個人的にナンバーワンのおみやげをあげろと言われたら、かんざしです。娘にびんぞめ風の暖簾か、かんざしかのどちらがいいかと聞くと即座に後者を選んだせいもありますが、和風な髪だけでなく、洋風なヘアーにも飾りようによっては素敵に映えるかんざしは、贈る人のセンスもはっきりと映し出すことでしょう。

鹿児島県大島郡宇検村

北緯28度16分51秒　東経129度17分50秒
面積103k㎡　村人1571人　財政力指数0.09

　かねて予約しておいたフェリーで、奄美大島に向かいます。鹿児島からも行けるのですが、距離的に近いので沖縄からの便を選んだところ、途中でいくつか島に寄り道する分だけ時間がかかり、料金も時間もたいして違わないことがあとでわかりました。その代わりにいくつもの島の外観だけでも観察できるので、損得だけでいったら得でしょうか。

　最初に寄るのが与論島で、波に浸食されて今にも折れそうなキノコ岩が林立し、湘南海岸ほどには遠浅ではない白浜がきれいな白波に洗われています。無粋なコンクリ波止場には、黒牛さんがギュウ詰めになったケージが7つほどあって、手際よく船に積まれていき

ます。パッセンジャーも牛さん達も乗り終えれば出港ですが、それにしてもきれいな海で、ゆっくり滞在できればたのしい島でしょうね。

　次が沖永良部島で、**花と鍾乳洞の島**との謳い文句があるものの、船のデッキから眺めただけではわかりません。ここでも百頭近い牛さんが載せられたのですが、彼らは私の居場所のすぐ前に高く積まれたものだから、生産者の名前と個体番号が耳につけられた顔が1メートルほどの距離にあってびっくり。

　いずれもまだ仔牛らしくて、角も短くてつぶらな瞳が可愛らしいのですが、そんな眼で訴えられても私には何もできないよ。ひとつ隣のケージがやけに騒がしいのは、一頭だけ自主的に種付け行動におよんでいるのがいるからで、どうやら牛にも早熟なやつがいるらしいですね。

　闘牛と景観の島、徳之島までくると、ここの海もさすがにきれいなのですが、同じような島が続くのでいくらか飽きてきました。それでも私の地元にある女子体育大学に、徳之島出身の女の子が寄宿していたことなどが思い出されて懐かしい感じを誘われます。

　陽もとっぷりと暮れた名瀬に着き、自転車で宿に向かうも、最初は反対の方向に行ってしまって大失敗。だって初めての訪問客に「にぎやかな通りを目差して来て」などと説明すれば、埠頭から見て灯りがいっぱ

124

い見える右に行ってしまうでしょうが、なんて土地の人にしかわからない不満を言ってもしょうがないけれど、ともかく今夜の宿である「パンダのやど」には着きました。

那覇と同じような造りのドミトリー二段ベッドが並んでいますが、新築で設備も整っている分だけ料金も高いのです。シャワーもトイレも快適で、きれいなシーツと布団、それにカバーの付いた枕まで揃っているのだけれど、私が苦労して持参した枕を使ったわけは、慣れないやつでは首を寝違えてしまうから。

翌朝になってからしまバス本社に行くと、朝一番のバスは出てしまったので、あらためて検討に入ります。ここには宇検村と大和村のふたつの村があるから、どちらかにバスで行き、そこから海沿いの道を自転車で走破するプランを立てたのですが、この計画はバス会社の人に一笑に付されてしまいました。それでも腑に落ちないままに宇検村行きのバスの人となり、走ってすぐに自転車プランの無謀さに気づいたのです。

奄美大島の道はアップダウンが激しく、いっぱいあるトンネルは暗くて曲がりくねり、とても危なくて走れたものではないのです。だから宇検村まで行ったらバスで引き返す第2案に変更、とりあえず村役場に行くと昼休みでした。

女子職員と一緒にお弁当を食べながら色々と話を聞

くと、職員のほとんどが地元であり、みんなが家に帰ってのんびりとお昼ご飯を食べるというので、異常に職員の少ない理由が得心された次第です。またその内のひとりが牛飼い農家に嫁ぎ、仔牛の内に出荷して、各地のブランド名をつけられて大きくなるなんて話しも聞いて、フェリーでの情景が改めて納得されました。

「**この村にはディズニーランドのようなアトラクションはありません。だけど探せばかならずあったかいハートが見つかります。村の人から風景からたべものからあなたから探してみてください**」とパンフにある宇検村は、霊峰湯湾岳を望み、きれいな星空が見られる自然豊かな場所と見ました。同じパンフには宇検村の集落が載っていましたので、ルビなしでどれだけ読むことができるか、クイズ代わりに書き出してみました。

　宇検、久志、生勝、芦検、田検、石良、湯湾、須古、部連、名柄、佐念、平田、阿室、屋鈍、枝手久島。

鹿児島県大島郡大和村

北緯28度21分29秒　東経129度23分43秒
面積88km²　村人1344人　財政力指数0.07

第1章

第2章

第3章

第4章

第5章

第6章

　ものはついで、もうひとつの大和村の難読集落名も
あげてみましょう。

　国直、湯湾釜、津名久、思勝、大和浜、大棚、大金
久、戸円、名音、志戸勘、今里。

　**風に吹かれて斜めに育ったガジュマルの樹、人の手
からえさをもらうウミガメ、石垣に立てかけてあるハ
ブ獲り棒、ローソク岩の上に輝いていた夕日が沈むと
満点の星空が現れて‥‥、**なんて表現がどこか空々し
いのは、大和村を訪れることができずに、パンフを見
て書いているからです。

　宇検村から帰り、名瀬郵便局前で大和村行きの最終
バスを待っていた時、大型で豪華な観光バスが2分も

早く来ました。行き先表示にも大和村がなかったので乗り過ごしてしまうという痛恨のミスを犯してしまったが故に、せっかく奄美大島を訪れながら、ふたつの内のひとつを取りこぼしてしまったのでした。でもそれほどまでに悔しくはないのは、九州取材の折にはもう一度チャンスがあるからで、その分ゆっくりできて体力も回復したことだしと、自分で自分を慰めた私でした。

第 3 章

北海道

北海道虻田郡留寿都村

るすつむら

北緯42度44分14秒　東経140度52分32秒
面積119km²　村人1852人　財政力指数0.21

　フェリーで苫小牧に着いたのが、日曜日の午後でした。最初の目的地留寿都村までは2時間とかからないので、いかにも北海道風な景色の中を走ります。途中まで制限速度50キロとなっていて、それが解除になって、あとは速度表示板がないのです。

　気になって気になって、仕方ないから流れに乗って走ったら、みんな高速道路なみに飛ばすではありませんか。だからすぐに怖くなって75キロで走っていましたが、どうやらそれが正解で、速度表示がない道は60キロ制限なのだそうです。

　それはそうと、信号も少ない平坦路を走るのですから、あっという間に留寿都村に到着しました。いつも

ならば村役場を訪れて、色々と質問するのですが、職員がだれもいないので、パンフレットだけ貰って帰りました。

　それによると留寿都村には、有名なルスツリゾートがあって、一年中さまざまに遊ぶことができるみたいです。中でもスキー場は充実していて、三つの山に37コースがあり、全部のゲレンデの総滑走距離は42キロにもなるのです。景色は雄大、雪は上質ときたら、スキー・スノボ好きにはたまらないでしょう。

　他にも名物や見どころがたくさんあるのですが、私がオヤッと思ったのは、かのマリリンモンローさんが日本に来た時に、急に腹痛を起こして治療に呼ばれ、患部だけでなく、他にも色々さわったと自慢した浪越徳治郎先生の銅像があることで、なんと少年時代をここで過ごしたそうなのです。

　というわけで、次の真狩村に向かいます。

北海道虻田郡真狩村
まつかりむら

北緯42度45分47秒　東経140度48分13秒
面積114km²　村人1987人　財政力指数0.13

　標高1898メートルの羊蹄山は、とても形のよいみご
とな山です。どこから見てもきれいな円錐形を見せる
この山には、元気だったら登ることもできます。

　コースは4つで、倶知安ひらふコース・真狩コース・
喜茂別コース、そして京極コースがあるのです。どこ
から登っても5時間くらいはかかりそうで、さらに下
りもあるのですから、ちょっとしたトレッキング気分
じゃ駄目そうですね。山の正式名称は「後方羊蹄山（し
りべしやま）」で、一般的には蝦夷富士と呼ばれて愛
されています。

　豊富な農産物にきれいな湧き水、雄大な景色と美味
しいごちそうがいっぱいの真狩村ですが、面白そうな

のはスリッパ卓球選手権でしょうか。毎年1月下旬に全日本の大会が開催されるそうなので、我こそはスリッパ卓球の達人と思う人は参加してください。

　有名どころといえば、紅白歌手の細川たかしもこの村の出身で、彼の生地証明と、業績を讃える碑が並んで建っています。そこからもどこからも羊蹄山が丸見えで、自転車でのんびりサイクリングするのもいいですねえ。

　ところで北海道での記念すべき最初の一夜は、道の駅での車中泊としゃれ込みました。ニセコ・ビュープラザにはすでにお泊まり気分の車がいくつかあって、私も適当な所に割り込みましたが、実は朝になってそこが特等席だったことが分かるのです。

　ともあれ即席麺で腹ごしらえした私は、愛車シボレーNWの全部のシートを倒してフルフラットにしたのですが、今までそんな風にしたことがなかったので、かなりデコボコして寝にくそうなのに改めて気づきました。そして前と後だけしか目隠しを用意していなかったから、サイドから丸見えで、それも寝にくさの要因でしたが、いつしか白河夜船、朝になると素晴らしい光景が目に飛び込んできました。

　朝の光が細い束になって顔に降りそそぐのは、羊蹄山の山裾から朝日が半分だけのぞいているからで、然も山腹からひっきりなしに生まれている雲の棚引きも

第1章
第2章
第3章
第4章
第5章
第6章

ヴェールのような効果を発揮していて、それはそれは
素敵なのです。こんな素晴らしい朝の情景が見られて、
然も無料なのですから、道の駅での車中泊はやめられ
ませんね。

北海道島牧郡島牧村

北緯42度42分02秒　東経140度03分42秒
面積437㎢　村人1299人　財政力指数0.07

　日本にある183の村を全部回ろうと計画した時、で
きるだけ村役場に寄って、観光課で話を聞いて、でき
れば村長さんも取材するなんてプランでやってきたの
だけれど、日曜日ではそうもいきません。だからダッ
シュで回ったら、五つも回れてしまって自分でもびっ
くり。
　羊蹄山に別れを告げて西へまっしぐらに進むと、

峠でいきなりのものすごい霧。知らない道で濃霧だか
ら、自分でも焦れったいくらいにスピードを落として
走りましたが、あそこでビュンビュン走れる人がいた
らお目にかかりたい。無事に海に出たら、今度は快晴
の海を右手に見て南下、もう7月だというのに山に雪
を残した島牧村に着きました。

　ここの名所は賀老の滝で、午前中には運が良ければ
虹が見られるとか。あとはアメマスが有名で、大規模
な釣り大会も開かれて日本国中からマニアが訪れると
か訪れないとか‥‥。

　狩場山の山頂まで、上りで2時間半、下りで1時間40
分と看板にはありました。温泉もいくつかあるし、江
ノ島海岸が夕日の名所だともありましたが、ここら辺
はどこから見てもきれいな夕日が見られるに違いあり
ません。

　来た時と反対に海を左に見て走ると、はるか前方にいかにも原発ですといった感じの、3基の丸屋根が見えてきました。あの近くを通るんじゃ怖いなあと思っていたのですが、近づくにつれてアラ不思議、建屋がまったく見えなくなってしまったではありませんか。道路沿いに大きな岩山があって、その奥の海側に原発があるものだから、近くからは目隠しになって見えないのですが、それで危険性が無くなるわけでもなく、やっぱり怖いと思ってしまいました。無人の泊村役場は立派な造りで、よほど交付金がもらえるのでしょうね。

北海道古宇郡神恵内村

北緯43度08分36秒　東経140度25分50秒
面積147km²　村人767人　財政力指数0.09

　次の目的地の神恵内をナビに入れるも反応せず、ガソリンスタンドで聞くと「かもえない」と発音するのだそうで、今度はすんなり認識してくれました。ちなみにこの地名は、アイヌ語で「美しく神秘な沢」を意味する「カムイナイ」から付けられたそうで、シャコタンブルーな海の連続は、まさにその名に恥じないと思いました。

　春はヤリイカ、夏はホタテと雲丹、秋は鮭で冬は鱈が名物とくれば、いつ来たっていいじゃありませんか。

　村役場の写真を撮っていると、道の反対側に時ならぬ行列ができています。人口もそれほど多くなさそうな村で、30人もの行列はただ事ではありません。近く

に行って見ると、それは勝栄鮨というお店の開店待ちの列であって、現地の人ばかりが並んでいる様子を見るに、よっぽど美味しいんでしょうね。

北海道余市郡赤井川村

北緯43度05分00秒　東経140度48分49秒
面積280km²　村人1094人　財政力指数0.20

　次の赤井川村までは、内陸を通る道があるのですが、私はわざわざ海岸線を通って神威岬回りで行きました。
　若い頃にリュックを担いで、ユースホステルに泊まって、周遊券を期日を余して帰る人と交換してもらって、思う存分に北海道を堪能した時に寄った神威岬を再訪したくての回り道だったのですが、途中でリタイアしてしまいました。だってアップダウンの激しい細道がずっと続いていて、とても先端までは行けそうにない

もの。

　途中の余市でも思い出があって、無料でおかわりできるのをよいことに、持参した水筒にウイスキーをいっぱい詰め替えてきたこともありました。ニッカウヰスキーさん、ごめんなさい。

　赤井川村には、キロロリゾートがあります。20以上もあるコースでパウダースノーを蹴立ててのスキーは、爽快そのものでしょうが、ここではウインタースポーツだけではなく、一年中楽しめるアクティビティが揃っているそうで、家族でも楽しめそうです。

　元々がカルデラだった赤井川村は、秋のよく晴れた早朝にはすっぽりと雲海に覆われて、幻想的な光景を見せることもあるそうで、冬期通行止めになっていなければ行ってみましょうか。

◆番外エッセイ

スキーは楽し

　ウインタースポーツの中では、スキーはダントツに楽しい、と私は思います。白銀の新雪にシュプールを描いて直滑降もウエーデルンも思いのまま、風を切って眼下の町へ向かってひと滑り、なんてのは私じゃなくてトニーザイラーのことです。

　それでも最初はこわごわとプルークから始め、ボーゲンからシュテムクリスチャニアまでできるようになり、最終的にはパ

ラレルのままで隣をスノーボードで滑る息子の姿をビデオ撮影できるまでになりました。

　そこまで上達するのには4シーズンくらいかかっていますが、いずれも4月になってからの春スキーだったのは、立川山荘近くのスキー場が4月になった途端に料金が安くなるからで、しまいにはレンタル嬢に顔を覚えられて、もっと早い、ゲレンデにたっぷり雪が積もっている時期の方が楽しめますよ、なんて言われる始末。

　そんなイヤミを言われながらもスキーを楽しめたのは昔の話で、今はすっかり寒がりになってしまったから、ウインタースポーツなんかはとんでもなく、冬は必要最小限の買い物以外はこたつで丸くなっている日々とは、いやはやなんとも‥‥。

北海道石狩郡新篠津村

北緯43度13分31秒　東経141度38分58秒
面積78km²　村人2833人　財政力指数0.17

　本当は小樽あたりで泊まるつもりだったのですが、まだ十分に明るいので、札幌の先の新篠津村まで突っ走ることにしました。

　新篠津村は、札幌市から車で1時間ほどの距離にある広大な田園風景に抱かれたまちです。起伏がなく交通量も少ない新篠津でのサイクリングでは、一面に広がる田畑の中を快適に走ることが出来ます。初級から上級までのサイクリングコースは4つありますので、是非ご利用ください。

　1　しのつ湖1周ファミリーコース
　2　田園風景エンジョイコース
　3　新篠津満喫ミドルコース

4 地平線チャレンジコース

　それなりに立派な村役場の写真を撮った私は、道の駅に急ぎました。なぜならここの道の駅には温泉が併設されているからで、やっぱり日本人ならお風呂に入りたいですよね。

　道の駅のとなりは公園になっていて、広い芝生にはいくつものテントが並んで、幸せそうなファミリーの笑い声が交錯していました。有料のキャンプ場でテント込みの料金は安くはないのですが、子供にとっての楽しい思い出はお金に換えられるものではないですからね。

北海道苫前郡初山別村
しょさんべつむら
北緯44度31分56秒　東経141度45分59秒
面積279k㎡　村人1057人　財政力指数0.09

　朝、カップラーメンをたべることにしました。まず
お湯を沸かさなければならないので、小さな電熱ナベ
で湯を沸かそうとコンバーターに接続してシガーソケッ
トに入れた途端、プッッと妙な音がしてヒューズが飛
んだのです。不吉な思いで点検すると、電熱ナベのス
イッチが強に入ったままという不手際。

「あちゃー」と思うも後の祭り、CDが聞けなくなって、
サイドミラーの開閉もできなくなってしまいました。
道の駅の差し込みを使って湯を沸かし、最初からこっ
ちを使っていればなぞとラーメンをすすって反省会。

　車を走らせてすぐ、サイドミラーが風圧で閉じてし
まう不具合を発見、ビニールテープで固定します。そ
れでもナビが使えているからいいやと脳天気に走るこ
と半時間、内蔵バッテリーがなくなりますとのお知ら
せで青くなりましたよ。

　この広い北海道を、ナビなしではとても走れないの
で、自動車修理のお店に飛び込みました。私の車はス
ズキのスイフトをベースにしたシボレーNWなので、
うまく適合するヒューズがあるかどうか心配している
と、十分くらいで直してくれました。

　後は料金の心配ですが、請求されたのが380円で、
あまりにも安いから千円でおつりはいいですと言った
ら、交換代も入っているからと受け取らないのです。
なんてプライドの高い、立派な自動車修理工さんなん

でしょうか。

　そんなわけで留萌から日本海に出たからには、あとはひたすら北上、あいにくと雨模様で、沖合の焼尻も天売も見えないけれど、私はご機嫌で初山別村にとなだれ込みました。

　ここでの最大の見どころは、なんといっても天文台で、他ではやってないプランとして「マイスターズシステム」というのがあり、なんと夜空に瞬く星のうちの一個を選んで、自分の名前が付けられるのだそうです。

①天文台に申し込む（登録料5000円）

②送られる星図から星座を選んで名前をつける

③星が登録、永久保存される

④初山別村から登録証明一式が送られる

⑤天文台に無料で入館、自分の星を観測できる

　つまり初山別村の権限においてのみ、好きな星に自分の名前を冠することができるのであって、浪漫を感じるか感じないかは、判断の分かれるところでしょうか？

　天文台のあるみさき台公園には、ゴーカート場やオートキャンプ場、温泉やバンガローなどもあり、家族連れだったら楽しいと思いますが、はるか遠くに利尻富士を眺めながら、沖合に立つ鳥居の間に沈む夕陽をみるのは若いカップル向きだと思いました。

北海道中川郡音威子府村
おといねっぷむら

北緯44度43分32秒　東経142度15分44秒
面積275㎢　村人641人　財政力指数0.09

　音威子府村に入りました。内陸にある小さな村ですが、松浦武四郎が北海道という地名を思いついたのはこの地で野営をしている時だったという話が残っています。

　全部で6回も蝦夷地を訪れた探検家の松浦、野営中にアイヌの古老から「カイナー」とは「この国に生まれたもの」という意味だと教わり、明治政府から蝦夷地に代わる地名を考えるように依頼されると「北加伊道」を含む六つを提案、最終的に「北海道」に決まったというエピソードです。

　山に囲まれた可愛らしい村には鉄道も走ってるし、イベントなんかもそれなりに開催されてもいますが、

平成22年には人口が1000人を割ってしまったそうで、なんとか持ちこたえて欲しいと応援したくなる、天塩川沿いにこぢんまりとたたずむ素敵な音威子府村でした。

北海道宗谷郡猿払村
さるふつむら

北緯45度19分50秒　東経142度06分32秒
面積589㎢　村人2701人　財政力指数0.16

北海道の道はどこも気持ちいいけど、宗谷岬も先に近づくほどにチョー気持ちよくなってきます。右手をみればどこまでも続くオホーツク海、左手は大規模な牧草地でなければ雄大な原っぱ、そして道路は基本的に直線とくれば、特にドライブ好きでなくともたまりません。

村役場で一番に聞きたかったこと、猿払村の財政力指数を尋ねると0.246とのことで、ちょっと拍子抜けし

てしまいました。なんでも猿払村はとても豊かだと聞いていたからで、初山別の0.1、音威子府の0.108などから比べると確かに余裕があるかも知れないけれど、そんなに大さわぎするほどのことでもないのです。

すると職員、それは村の財政ではなくて、村民所得が多いことと思い違いをしているのでは、と言われてにわかに納得しました。

北海道で一二を争うほど住民の所得が多いのは、やはり先人の努力があったからこそで、ホタテの稚貝放流などの「資源管理型」が成功したからでしょう。

酪農もさかんで、サルフツホワイトブランドとしての牛乳、アイスクリームやバターなども美味しいのです。

びっくりするのは合計特殊出生率で、全国平均が1.46なのに対して、猿払村では驚異の2.19なのです。だからこそ年少人口も15.5と高いレベルを保っているのですが、まさか全世帯にホタテを無料配布しているからこの数字、ということもないんでしょうね。

長距離を無理に突っ走ってきて、時間ぎりぎりに役場に飛び込んだので、今日はここでお泊まりです。道沿いで見かけたライダーハウスに電話すると、鍵が掛かっていないから勝手に入って勝手に布団で寝ていてくれとのこと、遠慮なしにそうさせてもらい、さるふつ憩いの湯で汗を流してぐっすり眠りました。

翌朝早くに御主人が2000円を集金に来ましたが、あ

そこも夏はライダーで大賑わいなのでしょうか。

北海道紋別郡西興部村
にしおこっぺむら

北緯44度19分44秒　東経142度56分40秒
面積308㎢　村人998人　財政力指数0.08

　緑一色に染まる山々を突き抜けてくると、いきなりオレンジ色の鮮やかな家々があらわれてびっくりしました。それまで家があっても地味な色ばかりだったのに、いきなりの原色に近いオレンジでたまげてしまったのです。

　役場で話を聞いて納得、西興部の色ということで村の建物をオレンジ色に塗り、民家にも補助金を出して、ゆくゆくは村の全部をオレンジ色で染め上げたいのだそうです。

　ここにはユニークな施設がいっぱいで、森の中のホ

テル森夢（リム）、森の美術館木夢（コム）、道の駅フラワーパーク花夢（カム）が揃い、一時はかなり話題にもなりました。

　ところが財政力指数は右肩下がりとのことで、これらの話題も一過性に終わってしまうのでしょうか。20年前には5000人をかぞえた住民が、今では1000人に減ってしまってもいるとのこと、西興部村出身の若者を個人的に知っているだけに、なんとか盛り返して欲しいと思いつつ、次なる鶴居村を目差す私でした。

北海道阿寒郡鶴居村（つるいむら）
北緯43度13分48秒　東経144度19分16秒
面積571㎢　村人2484人　財政力指数0.15

　なだらかな山が行く手をさえぎっているみたいな道を進んでいくと、やや低まったところが真っ白になっ

ていて、それが滝のようになだれ落ちてくる雲だと分かるのに少しばかり時間がかかりました。

　案の定、美幌峠霧の看板が出ていて、いざその中に突入すると、ちょっと関東ではお目にかかれないほどの濃霧。おまけに急カーブは連続するし、路面はなぜか赤くなっているしで、とてもスピードなんか出せる状況じゃないのです。

　あまりにも怖いので低速で走っていたら、その内に後に10台も車が続いてしまって、すぐ後のトラックの運ちゃんなんかはイライラして、峠を越えて追い越し禁止解除になった途端、ものすごいスピードで追い抜いていきましたが、そんなに睨みつけなくても‥‥。

　鶴居村はなだらかな山間に、唐突におとぎの国が出現したみたいな感じで、ぜひ一泊しようと心に決めました。どこかのお店で飲み食いすれば、多少なりとも鶴居村の経済をうるおすだろうと考えたのですが、宿泊施設がどこも高いのでお泊まりはやめにしました。どこが経済だと自分でも思うのですが、背に腹は替えられないじゃないですか。

　もう釧路湿原の中だから、どこを走っても湿原で、しゃれた家がぽつんと霧に中に浮かんでいるなんぞ、まるで一幅の絵画の世界ですね。

　狐に遭遇し、その奥で鹿とも目があったあたりで、もうこの先はサンクチュアリだよと言われてる気がし

て帰ってきたけれども、あまりにも自然だとかえって怖くなるものですね。

　阿寒鶴の里にある道の駅まで無理して走ったけれど、夜の霧のドライブは怖くて、こんなんじゃ多少高くてもお泊まりした方がよかったかなあ、なんて後悔はしないのが私であって、費用の安い方で納まれば、万事めでたしめでたしなのでした。

北海道河西郡更別村（さらべつむら）

北緯42度39分02秒　東経143度11分16秒
面積176km²　村人3138人　財政力指数0.21

　釧路をかすめて海沿いの38号線に出ると、これまたものすごい濃霧で、ハンドル持つ手が緊張してしまいます。それなのに毎日通い慣れているだろう運ちゃんは、多摩ナンバーをあおるあおる。

　途中にあった道の駅に飛び込んで難を避けましたが、

よくあんな視界数メートルの道を、ビュンビュン走れるものだと感心してしまいます。

　いくら待っても霧が晴れないので、なるべく遅そうな車を見つけて出発、途中から内陸に入るルートもあるのだけれど、霧が晴れてきたこともあって予定を変更、襟裳岬を目差すことにしました。

　若い頃に何度も訪れた北海道ですが、襟裳岬はかなり行きにくい場所であって、今回は初めての訪問となるので胸も高鳴ります。

　多くの人は駐車場から真ん中の道をとるけれども、万事があまのじゃく的な私は右手の迂回路を登り、なんとはなしに後ろを振り向くと、日高方面に伸びる海岸線が一望できて素晴らしい景観でした。

　はたして強風下の襟裳岬は、太平洋を切り裂いているかのような見晴らしも素晴らしく、本当に来てよかったと思いました。

　内陸の更別村は、他の村との差別化を見いだす方が難しいような感じの村落ですが、どっこいここは一戸当たりの経営面積とトラクター所有台数が日本でトップクラスだそうで、道理で景色もさらに雄大さを増しているはずです。

　北海道唯一といえば十勝スピードウエイもそうで、イベント開催時でなければ、有料でコースを走れるとのこと、スピード狂ならずとも一度は本物のレースコー

スを体験してみたいですね。

　ここでは毎年7月下旬に、全日本ママチャリ耐久レースも開催されるので、ママチャリ専門の人はチャレンジを。

北海道河西郡中札内村
なかさつないむら
北緯42度41分53秒　東経143度08分03秒
面積292㎢　村人3886人　財政力指数0.25

　中札内村はうたい文句の通りに、アートの村でした。美術村にはいくつものギャラリーや美術館があり、レストランや庭園もありますから、時間があればゆっくりとめぐってみたいところです。

　生キャラメルで有名らしい、花畑牧場もあって、チーズたっぷりとろーりのピザが美味しそうですね。

　北海道土産として定番の六花亭もここから始まった

らしいのですが、これは未確認情報です。

　道の駅に隣り合って、ビーンズ邸がありますが、ここには大豆をはじめとした世界中の豆が、これでもかというほど展示してあって、豆好きさんならずともとても勉強になります。

　ユニークなイベントとして、十勝中札内グルメフォンドがあります。それぞれ距離によって違う参加料を払うと、自転車レースに出られるのですが、他のレースと違うのは、途中何カ所もでごちそうや果物・スイーツなんかが食べられるみたいで、あと30若かったら、私も参加したかったですね。

北海道勇払郡占冠村

しむかっぷむら

北緯42度41分53秒　東経143度08分03秒
面積292km²　村人3886人　財政力指数0.25

　アイヌ語の「とても静かで平和な上流の村」という
意味の「シモカプ」が由来の占冠村は、割と交通の要
衝となっていて、昼時の道の駅には観光バスがじゃん
じゃん入ってきて食事処はてんてこ舞い。だけど午後
になると一転閑散として、あのメリハリも疲れそうで
すね。

　日本国中どこでも、村役場という看板が誇らしげに
掲げられているものだけど、ここには合同庁舎がある
ばかり、その中に村役場セクションがあって話を聞き
ました。

　夏と冬とでは人口が大きく変動するとのことだけど、
その理由が思い当たりません。それでもトマムリゾー
トはこの村にあると聞いて、ようやくああそうなんだ
と思った私は、どれだけ情報収集を怠っているのでしょ
うか。

　午後の村落を散歩すると、いかにも昔からの長屋み
たいのもあって、なんだかホッとします。大量に押し
寄せた観光客が潮の引くようにいなくなった道の駅で
遅い昼食、車の中でお昼寝をしている最中にも、考え
るのは夕ご飯をどこで食べるかばかり。

　そんなにのんびりしているのは、明日の朝早くにト
マムに行くだけで北海道の全村踏破が終わり、後はフェ
リーで帰るばかりだからで、結局お弁当を買ってきて
車の中で食べました。

そして早起きしてトマムリゾートに走ったのに、あいにく山の上に雷雲が発達していて、危険だから今日はゴンドラは出ないとのことなのです。だから、**眼下にひろがる壮大な雲海を眺めながらコーヒーを楽しむ事**、ができなかったのであって、ああ、がっかり。

　それでもなんとか北海道の全15村は完全踏破、沖縄もいってしまったし、後はあまり遠くないところなどが残ったので、のんびりとめぐってまいりましょう。

◆**番外エッセイ** ─────────────

雄大な景色と言えば

　北海道は雄大な景色が多く見られて、胸が洗われるような気持ちになりますが、個人的に好きなのはモンゴルの大草原です。なにしろなだらかに起伏する低い丘がどこまでも連なっていて、それらが牧草グリーンに染め上げられていて、羊や牛がのどかに草を食む、そんな風景が360度さえぎるものもなく広がっているのだから、どんなに心が狭い人でもおおらかな気持ちになるのです。

　そんな大草原に、お泊まりキャンプに行ったことがあります。後ほどモンゴル銀行に勤めることになるデルゲル君のファミリー20人ほどで、トラックの荷台に乗ってのドライブなのですが、それは禁止されているらしく、遙か彼方におまわりさんの姿が見えると、全員で下りて歩いて迂回するのです。

　途中で羊を一頭買い込んで、キャンプ地に着けばさっそく料理にかかります。羊を仰向けに寝かせて胸のあたりを少しだけ切り裂き、手を突っ込んでキュッとひねると、たったそれだけのことで羊は声も出さずに昇天、おなかの皮を割裂いていって、肉や内臓をそれぞれ別々に取り出して料理するのですが、その間に羊の血は一滴も地面にはこぼさないのです。

　肉は焼き、内臓は腸詰めにしての塩ゆでで豪華なごちそうができあがりました。その間、子どもたちはパンツ姿になって川遊びですが、その川の水が雪解け水だから冷たいのなんのって、よく平気なものです。

　食事になれば、アルヒは付きものです。これは馬の乳などから作られる蒸留酒で、めっぽうアルコール度数が高いのです。この頃は私も酒豪の部類でしたから、飲み比べをして勝ちましたが、一般人はやめておいた方が無難でしょう。

　酔えば歌となるのですが、感心なのはファミリーの歌とも言うべきものが家族に伝えられていて、自分の名前から父母祖父母と遡っていって、覚えのよい人なら数十代も上の先祖の名前までそらんじているのです。これは近親婚を防ぐための知恵であって、感動しました。

　さあ寝ましょうとなりましたが、テントも何もないのです。そうしたらトラックから布団を降ろしてきて、草の上に敷き詰めるじゃありませんか。常識で考えたら、夜露でびっしょりになりそうなものですが、モンゴルでは大丈夫なのです。

　たくさんの明るい星々が降り注いで来るみたいで、ロマンを

通り越して怖さすら感じる一夜でしたが、こんなお話が拙著「モンゴル悠游旅行術」に満載ですので、よろしかったらお求めください、って、絶版かな。

第 **4** 章

島根県　鳥取県　岡山県
京都府　奈良県　大阪府
和歌山県

北海道

青森
秋田　岩手
山形　宮城
新潟　福島

石川　富山
福井　　　群馬　栃木
長野　　茨城
岐阜　埼玉
山梨　東京
愛知　神奈川　千葉
静岡

島根　鳥取
京都　兵庫
広島　岡山　滋賀
山口　　　愛知
香川　大阪
愛媛　徳島　奈良　三重
高知　和歌山

佐賀　福岡
長崎　大分
熊本
宮崎
鹿児島

沖縄

島根県隠岐郡知夫村

北緯36度00分50秒　東経133度02分22秒
面積13㎢　村人595人　財政力指数0.07

　春の青春18キップを使って、日本海側の割と行きにくい場所を訪問することに決めた、まではよかったけれど、情報不足で心配なことだらけのままに、とりあえず米子まで夜行バスで行きました。

　米子駅から接続バスで七類港に走り、フェリーの切符を買う段になってびっくり、なんと一番近い知夫里島に渡るのも、それより倍近い距離のある隠岐の島に渡るのも、同じ3240円だと言うではないですか。

　いくらなんでもそれはないでしょう、と突っ込みたくなりましたが、他のみなさんも納得して購入しているのでは勝ち目はありません。泣く泣く最短距離でも均一料金の2等料金を払いましたが、スッキリと納得

したわけではありませんからね。

　知夫里島の来居（くりい）港について、観光マップをもらうと、いくつかの見どころがあって、どうやら一番の景勝地は赤壁という断崖絶壁らしいのです。その付近は赤ハゲ山といって、木が生えないで、一面の牧草地が広がっているらしいのです。

　その他にも後醍醐天皇や文覚上人にゆかりの地がいっぱいあるらしいのですが、私は峠越えの道を歩いて、島の反対側にある村役場を目差しました。

　はたしてかなり立派な役場は日曜日とあって閉まっていますが、あきらめの悪い私は裏口に回って声をかけてみました。すると宿直の若い職員がいて、いくつかの質問の後で、どうせ答えられないだろうと思いながら財政力指数を尋ねてみると、即座に0.08と即答があってびっくりしましたよ。

　なんでもそんなセクションの人がたまたま宿直に当たっていたとのことですが、財政課の人でも即答する人はめずらしいのですから、たぶんあの若者は将来は村長になるのではないでしょうか。

　見どころをどこも見ずにふたたび来居港に戻ったのは、今日中に米子まで帰りたいからで、唯一の方法はジェット船で西の島の別府港に行き、そこから最終便で本土に戻るのですが、フェリーがあれだけ高いのなら、ジェット船はいくらするのだと心配していたら、

300円と安くて安堵しました。

　ほぼ満員状態のフェリーが七類港に着いて、心配したほどにはバスも満員にならずに、無事に米子まで帰り着いて、その夜はスーパーホテルに泊まりました。安くはないのですが、朝食付きなら御の字で、おまけに朝早くから荷物を預かってもらったのですから文句は言えません。

　ひとつ感心したのは、宿泊手続きの時に料金を精算してしまうので、朝の忙しいときに現金授受のスタッフが無用だということで、あれはずいぶんと合理的なやり方だと思いましたね。

鳥取県西伯郡日吉津村

北緯35度26分25秒　東経133度22分51秒
面積4.20㎢　村人3585人　財政力指数0.76

　事前調査ではこの村に行くための方法がまったく分からないままだったのですが、米子駅前のバス案内板に日吉津村行きがあってホッとしました。唯一あった観光パンフに日本で4番目に小さくても、人口密度は6番目に多いと書いてあって、ちょっととらえどころがない感じだったのですが、村内をバスで走っている内に平成の大合併の時に住民投票で反対との意見が多かった理由が分かりました。なんと川沿いに大きな工場があって、それが王子製紙なのです。

　ずいぶんと大きな工場で、土地評価額もずいぶんと高いのでしょうから、それで財政が潤っているのでしょう。案の定財政力指数は0.68とのことで、納得の村役場取材でした。

　帰りのコミュバスを待つ間、田んぼの向こうに見える大山の雄大な光景を、今回の旅から持参した双眼鏡で満喫しました。10倍から50倍までズームできるとの触れ込みですが、日本製が2万円以上する高級品なのに対して、レプリカめいた中国製ですから、倍率を上げるとぼやけてしまうのは仕方ないのでしょう、中国製ですから。それでも10倍程度で見ている分には文句がなく、いい暇つぶしにはなりました。

岡山県真庭郡新庄村
しんじょうそん

北緯35度10分46秒　東経133度34分05秒
面積67k㎡　村人748人　財政力指数0.21

　富山駅まで帰ってきて、今度は伯備線と姫新線を乗り継いで岡山県新庄村を目差しますが、今どき特急を利用せずに在来線だけで乗り継ぐのは大変なのです。

　毎回、大した事前調査もせずに出かける村めぐりで、かならずひとつやふたつの期待値を上回る場所があるのですが、この新庄村がまさにそれでした。

　苦心惨憺の末にたどり着いた中国勝山駅から、料金200円なりのコミュバスで行くのですが、若い運ちゃんのギアチェンジのタイミングが早すぎるためにノッキングの嵐。おそらくあのバスは、耐用年数が来る前にぶっ壊れてしまうでしょう。

　新庄村役場は中途半端にメルヘン調で、とんがり

屋根のタワーなんかもあるけど、今イチ浮いてる感じが否めません。話を聞いてみると、やはりここにも財源があって、それがロックフィルの土用ダムだそうです。村の山の上に発電用の揚水ダムがあって、その地代が毎年入ってくるので合併しなかったとのことですが、それにしては財政力指数が0.2は小さくないですか。

　そんなことよりも、村役場近くの桜並木が素晴らしいのです。なんでも日露戦争の戦勝を記念して街道両脇に植えた137本の桜が生長して、みごとな並木道を作っているのです。本陣も脇本陣もある昔の宿場町の面影が色濃く残っているところに、びっしりと植えられた桜が満開になったら、どれほど素敵か想像もつきません。

　私の訪問は晩夏だったので、紅葉にも早かったのですが、四季折々の表情を見せる新庄村、本当に桜の季節に再訪したいと思いました。宿場町のどこかに野球選手の新庄さんの手形もありますから、ファンの人はさがすとよろしいかとも思います。

　宿泊施設は多くはありませんから、事前予約はしていきましょう。私は運良く民宿一里松という宿に泊まれましたが、頼んだ熱湯の生温かさに、やっぱりインスタントラーメンが半生の出来で閉口しました。

　ずっと鳥取県だと思っていた岡山県最北の新庄村、ちょっと公共交通機関利用では行きにくいですが、車

があれば話は別でして、パンフによればお祭りもいっ
ぱいあり、西日本最大級の山岳トレイルラン大会、新
春ジョギング大会もあるので、鳥取県民も岡山県民も
行ってみんさい。

岡山県英田郡西粟倉村
にしあわくらそん

北緯35度10分19秒　東経134度20分09秒
面積57㎢　村人1323人　財政力指数0.13

　新庄村とは反対側の東より最北部にある西粟倉村は、
うっそうとした杉や檜の林に囲まれた静かな村でした。
智頭急行はJR線ではないので別料金、然も粟倉温泉駅
のホームが高いので、階段をいっぱい下りてひと休み。
駅舎は森造り会社のオフィスにもなっているので、自
然と話を聞くことになりました。
　元IT企業戦士だったTさんが共同代表でやっている

（株）百森は、「百年の森林構想」を実現させようと頑張っているとのことで、あまりに遠大な計画に、そんなに生きてはいられそうにない私は頭がくらくらしましたが、これから結婚しようとする人にとっての耳寄り情報として、なんとふたりだけの記念植樹をしてくれるそうなのです。

　これは公にされていないので、こっそりとオフィスに行って、こっそりとTさんに頼まなければ実現しないという、かなりハードルが高いものらしいのですが、ふたりだけの樹がここですくすくと成長していくなんて、考えただけでもワクワクするじゃありませんか。

　しかも次々とベンチャー企業が増えていて、かなりユニークな村おこしにもなっているらしいので、西粟倉村はこれからの注目株でもあるでしょう。

　だらだら坂を下っていって、今夜の宿の国民宿舎に荷物を置かしてもらい、勇躍村役場を目差しましたが、これが遠い遠い。

　途中の木をふんだんに使った道の駅で休み、着いた役場での取材もそこそこに帰ってきましたが、帰り道はだらだら登りできついきつい。

　たまらずに何十年かぶりのヒッチハイクのサインを出しましたが、こんな中途半端な場所ではかえって怪しまれてしまい、車が止まってくれません。ほうほうの体で宿に帰り着いてバタンキュー、これほどまでに

疲れたのは最近ではめずらしく、体力の衰えを思い知らされました。

　翌朝はとても駅まで歩く元気がなくて、泣きつくようにして宿から車を出してもらいましたが、とりあえず今回の取材は終わりです。あとは播州赤穂に行くか、それとも大坂でのんびりするか、のんびり考えながら電車の人となりましょう。

◆番外エッセイ

腑に落ちる忠臣蔵

　播州赤穂城を訪れたついでに、忠臣蔵をひとくさり。

　私は子どもの頃から読書好きで、小さい時分から立川文庫などに親しんできましたが、児雷也だ寛永三馬術だという中で、忠臣蔵にだけは違和感を覚えずにいられませんでした。それは大石内蔵助が本当に、最初から最後まで討ち入りの音頭をとり続けたのかという疑問で、途中であれだけ派手に女遊びをしたら、そのままグズグズになってしまうだろうと思えたからです。

　長じて少し研究してみると、果たして大石内蔵助は吉良邸への討ち入りをデモンストレーションみたいに考えていたのではないかと思うようにもなりました。つまり本当に門を破って討ち入るのではなく、表門に勢揃いすれば捕り方が集まってきて、その時点で計画は潰えてしまうけれど、その意やよし、ということで藩士がどこかに召し抱えられるだろうとの計算が働いて

いたということです。

　ところが案に相違して、捕り方は現れずに江戸在住の強硬派の思い通りになってしまったといういきさつは、「腑に落ちる忠臣蔵」に詳しく述べようと思っていますが、果たしてこの本が出版されるかどうか、それが問題だ。

京都府相楽郡南山城村
みなみやましろむら

北緯34度46分22秒　東経135度59分37秒
面積64㎢　村人2253人　財政力指数0.24

　日本全国で村の数は183ですが、行政単位としての村がない県は、兵庫、香川、広島など13あり、ひとつだけ村のある府県が宮城、埼玉、神奈川などの12で、京都府もその内のひとつに数えられます。地理的には北西から南東にかけて斜めに伸びた京都の下端と言っ

たら、誰か怒るでしょうか。

　今回訪れる近畿地方は村のあり場所が密集している
し、鉄道やバスでは行けないところも多いので愛車で
の旅になりましたが、高速道路料金を節約しようと一
般道を走ったら、結局一日で行けずに途中で一泊、か
えって面倒なことになりました。然も名古屋を抜ける
のにずうーっとのろのろ運転で、高速道路料金はケチ
らない方がいいなあと思い知った次第です。

　ようやくたどり着いた南山城村は、宇治茶の名産地、
なんと京都産の四割がここで作られるそうで、山の方
に入るとみごとな茶畑の連なりが見られますし、自転
車で走るのもおもしろそうだなあと思ったら、やっぱ
り村でも力を入れているそうです。

　村役場でサイクリングマップをもらったら、自分の
実力に合ったコースを選びましょう。季節別、体力別
に7コースが示されて、それぞれに趣があるのですが、
初級者向けにしてからが、すでにかなりアップダウン
があってきつそうなのであって、上級者向けは車で
走ってもかなり気合いが入るほどの急坂があります。

　レンタサイクルが何カ所かで借りられますから、そ
んな願掛けをしたいのなら、恋志谷（こいしだに）神
社に恋路橋を渡ってお詣りしたりしてください。

　茶畑を見ようと車を走らせていたら、山のてっぺん
にいきなりモダンな建物が出現してびっくり、ゴルフ

場を併設したリゾートホテルだそうで、テニスコートには村中から集まって来たかと思うくらいのお年寄りがいっぱいで二度びっくり。

奈良県山辺郡山添村

北緯34度40分51秒　東経136度02分36秒
面積66km²　村人2990人　財政力指数0.30

　奈良県に入って、最初に訪れたのがここ山添村で、一番の見どころは巨石文化といってもよいくらいの、みごとな大岩、大石の配置でしょう。それらの中には天空の星がそのまま落ちて来たような配列になっているものもあって、ロマンチストならずともはるかな縄文時代に思いを馳せずにはいられないでしょう。

　巨石には神が宿るとして信仰の対象になっていた古代から連綿と続く山添村の史蹟には、直径7メートル

でほぼ球体の長寿岩、鏡面のように磨かれた遅瀬鏡石、なにかを暗示しているかのように斜めに重なった菅生あたごさん、謎の十字紋が刻まれた岩尾神社の神体石などがありますが、一番不思議なのは間違いなく地上の天の川でしょう。北極星と夏の大三角、更にはアンタレスまでがある巨石群の中心を、幅25メートルで全長650メートルにおよぶ天の川が貫いているのですから、もう見に行くっきゃないでしょう。

　家族連れでいく場合は、父親が巨石めぐり、子供たちはフォレストパークで羊と戯れるのがよろしいでしょう。

奈良県宇陀郡曽爾村（そにむら）

北緯34度30分38秒　東経136度07分29秒
面積47k㎡　村人1198人　財政力指数0.12

曽爾村でのお勧めはハイキングで、コースもいっぱ

いあって充実しています。まず初級は曽爾高原をひとめぐりするルートで、およそ2時間半のコース設定ですが、高原までバスで行ってしまえば短縮できます。毎年春先に山焼きされる曽爾高原は、夏は緑一色となり、秋にはススキの黄金色に彩られてみごとな景色です。

　中級者向けには絶景展望登山コース、山の空気満喫コース、健脚奇岩めぐりコースの3ルートがありますが、いずれもバス停が基準になっていますから、体ひとつでチャレンジできるところがいいですね。

　このうちの健脚奇岩めぐりコースは鎧岳と兜岳のいずれかを選ぶようになっていますが、真ん中の峰坂峠で麓に下りずに、縦走の形をとれば両山が一気に攻略できるわけで、体力のある人は挑戦するとよろしいでしょう。

　アップダウンのきつい上級ルートが、ぬるべの山巡りコースで、雨天は避けた方がよいとのことですが、最後の曽爾高原温泉お亀の湯で疲れを癒やすのは最高でしょう。

　ここでのお勧めはもうひとつあって、それが日本ではまだめずらしいクラインガルテンです。ドイツによくある小さい庭を持った簡素な宿泊施設で、私の訪問時には日帰り型が10棟、滞在型が30棟ありましたが、こちらは年間50数万円で借りられるとのことで、ずいぶんとお得じゃありませんか。

その他にも宿泊施設がいっぱいある、ぬるべの郷曽爾村は魅力いっぱいですが、それにしても「ぬるべ」って何だ？

奈良県宇陀郡御杖村

北緯34度29分18秒　東経136度09分57秒
面積79㎢　村人1349人　財政力指数0.11

困りました、パンフレットも手元にあるし、村役場の写真も残っているのに、御杖村の印象がまったくないのです。鮮明には覚えていなくても、パンフレットを見たり、地図を見たりしているうちにはエピソードや印象が甦ってくるのが常なのですが、この村に限ってなにも思い出せないのです。

もともと記憶力には自信のない私ですが、まったく引っかかりがないことはこれまでにはなく、何かしら

の会話や景色の断片から思い出すことがあるはずなのですが、本当に御杖村の印象がないのです。

そこで手帳を開いてみると、3年平均で0.11の数字が記されていました。これはどこの村役場でも聞いている財政力指数で、「お隣の曽爾村より低いですね」と失礼なことを言ってしまったことまでは思い出しました。ところがそれで記憶の糸がぷっつり、またぞろ闇の世界です。

ここに書いていることは、もちろん全部の場所を訪問したわけではなく、パンフを見たりして想像をふくらませるのですが、それでもその近くを通りかかったりした記憶から印象が浮かぶのでして、まったくその地に足を踏み入れた覚えすらないのではなにも書けません。だからまことに申しわけありませんが、御杖村については、後ほど思い出したら追加で書くことにさせてください。本当にごめんなさい。

といったんは終わったのですが、これではあまりにも申し訳ないので、御杖村のホームページを参照して、村民憲章をあげてみます。

●郷土を愛し、美しい自然を守ろう

●教養を高め、歴史と文化を大切にしよう

●仕事に励み、豊かな生活をきづこう

●心身を鍛え、健康づくりに励もう

●人権を尊び、連帯と信頼を深めよう

然るべく善人たるべし

　夕闇迫る室生寺は、モミジの紅葉には10日ほど早かったみたいでしたが、それなりに風情があってよかったです。

　翌朝は早起きをして、長谷寺に詣でましたが、若い頃に訪れた時以上に感動しました。まだ駐車場も開いていない早朝のこととて、お勤めの人しかいない境内を歩き、399段の登り廊をゆっくりと登り、ご本尊の十一面観音菩薩を拝み、奇妙に遠近感の希薄な見晴らし舞台に出たとき、前触れもなしに感激の涙が滂沱とあふれ落ちましたが、あれはどうしたわけだったのでしょう。

　五重塔や本堂をめぐって下まで下りれば、入山受付を迂回するような場所に出てしまい、そのままとぼけてしまうこともできたのに、にわか善人になっていた私は入山料を後払いして、おまけに駐車場でも自己申告してしまいました。善人でいるにも、お金が必要なのですね。

奈良県高市郡明日香村（あすかむら）

北緯34度28分16秒　東経135度49分14秒
面積24k㎡　村人4912人　財政力指数0.24

　明日香村役場に行って、いつものように観光パンフレットをくださいと言った途端、きれいなビニール袋に入ったセットで出されたのにはびっくりしました。だって職員があっちこっちから集めてくれるのが普通だから、さすがに屈指の観光地だと感心したのです。もっとも中には、ふるさと納税やオーナー制度などの宣伝も入っていたのですが……。

　村の財政力指数が0.236と聞いてしまえば、もう村役場には用はないので、自転車を組み立ててサイクリングとしゃれ込みました。すぐ近くに岡寺があったので向かいましたが、途中からすごい急坂になって断念、次に石舞台に行きました。

40年くらい前にぶらっと訪れたときは、のどかな田園風景の中にぽつんと佇んでいましたが、今は囲いができて外からは見ることもできず、然も見物料を取るシステムになっていてびっくり。

　残念ながら長谷寺ほどは感激しませんでしたが、正面から背後の山を重ねてみたとき、みごとなまでに借景となっているのに気づいたのは新発見でした。

　もっと自転車で走りたかったのですが、暑くて疲れてもいるので、無理せずに車に戻りました。

　飛鳥寺で日本最古と言われる大仏をお詣りし、畑の真ん中に置き去りにされたかのような蘇我入鹿の首塚に手を合わせ、のどかで悠久の時が流れているような雰囲気にひたりました。すぐ近くには甘粕丘展望台もありましたが、高いところに登らなくても有名どころの山々が見えるのでして、本当に命の洗濯をさせてもらった気分でした。

　私はそれで次の目的地に向かいましたが、古代衣装のレンタルあり、2人乗り電動自転車のレンタルもあり、棚田ありレンゲ畑ありの古都は、ゆっくりとお泊まりで歩いてみたい、心のふるさとめいた場所ではありました。

奈良県吉野郡東吉野村
（ひがしよしのむら）

北緯34度24分12秒　東経135度58分06秒
面積131㎢　村人1371人　財政力指数0.12

　ニホンオオカミは、四国や本州の山々を駆け回っていたのですが、ここ東吉野村鷲家口で1905年に見つかったのを最後に、生存が確認されておらず、絶滅したと思われるので、記念として山に向かって遠吠えするオオカミのブロンズ像が作られて、今でも道ばたにその強そうなフォルムをさらしています。

　ここにはまた、幕末の天誅組の物語も伝わりますが、現代の東吉野村は句碑や歌碑のたくさんあるのどかな山村で、のんびりと命の洗濯をするのもよいでしょう。

　宿泊施設は素泊まり3000円の「ふるさと村キャンプ場」から、2食付き19000円のゲストヴィラまで揃っていますし、温泉もふたつあり、食べどころも充実して

います。

　春はあまごや山菜、夏は鮎の刺身か釜飯、秋はキノ
コ、冬はイノシシやキジなどが食べられて、どれを選
ぶか迷ってしまいそう。

　七滝八壺を筆頭に清流を流れ落ちる数々の滝、春の
桜に冬の霧氷、夏は満天の星の下で楽しいキャンプと
くれば、もう‥‥。

奈良県吉野郡川上村（かわかみむら）
北緯34度20分18秒　東経135度57分16秒
面積269k㎡　村人1084人　財政力指数0.11

　吉野川に沿って開ける川上村には、食堂や宿泊施設、
神社やお土産屋さんなどかなりありますが、名物は柿
の葉鮨で専門店まであるくらいです。

　私のおすすめはめはり寿司で、出された途端に目を

見張るくらいの大きさなので、こんな名前になったそうですが、残念ながらランチを食べてから聞いたのでチャレンジはできませんでした。

　それよりもっとユニークなのは匠の聚で、宿泊コテージを備えたここでは、常時8人ほどの芸術家が創作活動をおこなっていて、制作指導もしてもらえるのです。

　顔ぶれは日本画、陶芸、木彫、木工、更にはイラストレーターと多種多彩で、泊まりがけでじっくりと指導してもらえるのが嬉しいじゃありませんか。

　ただし取材時点で5棟しかないので、早めに予約した方がいいかも知れません。ファミリーの内で、不幸にして芸術に興味のない子がいたら、アマゴのつかみ取りをさせましょう。

奈良県吉野郡黒滝村

北緯34度18分33秒　東経135度51分08秒
面積47㎢　村人568人　財政力指数0.10

　川上村の隣なのに、車の通れる道は限られているので、吉野川をさかのぼるようにして吉野神宮から山道に入りましたが、ここはその昔、義経一行が鎌倉幕府の追っ手を逃れてたどった道なので感激しました。

　義経は吉野山中院に、家臣団はそれぞれの坊に別れてかくまわれたところ、僧たちが義経の首を取って鎌倉から褒美を貫おうと企み、大挙して襲ってきたときに、佐藤四郎兵衛忠信が六人の家来と共に防いで主を逃がしたという顛末は、拙著「腑に落ちる義経と頼朝」に詳しく書いてありますが、残念ながら未刊です。けれどもごま書房新社には、出版希望作品として提出していますから、そうは遠くない将来に出版されるので

はないでしょうか。

　黒滝村は思っていたよりもずっと山深い静かなところでした。私のつたない文章で印象を綴ってもよいのですが、それよりもここは、村のパンフレットから「黒滝村でしたい7つのこと」を掲載したほうがよいでしょう。

女子旅でしたい7つのコト
　1　花と緑を楽しむ山ガール
　2　「くろたん」にハッピーをもらう
　3　きららの森・赤岩で
　4　つかみ取りで「女子」を忘れる
　5　お土産はオリジナルの「草木染め」
　6　日本遺産　旧役場を見学
　7　そば処「侘助」で吉野蕎麦を堪能

シニア＆ファミリー旅でしたい7つのコト
　1　緑に包まれて歴史散歩
　2　清流「黒滝川」で水遊び
　3　初めてのBBQ
　4　黒滝吊橋で“日本最大級”を体感
　5　木のぬくもりに抱かれて眠る
　6　本気の山歩きその1：鳳閣寺展望台をめざす
　7　本気の山歩きその2：世界遺産大峯奥駈道を歩く

以上、役場でもらったパンフからそのまま転載しましたが、奈良にたくさんある村々の中にはBBQを禁止しているところもありますから、ファミリーでそれを楽しみにしている家族は事前に確かめておいた方が無難でしょうと、老婆心ながら。

　当然、内容がちんぷんかんぷんな人も多いでしょうが、疑問を持ったらご自分で出かけて確かめてください。

　というわけで次の村に向かっていた私は、途中の工場が気になって車を止めましたが、そこは素晴らしい銘木屋さんでした。その名も徳田銘木さんの倉庫には、素人の私でさえも息を飲むほどに立派な木々の数々が並べられていて、時の経つのを忘れるほどなのです。

　枝を付けたままで樹皮だけ剥がれた大木があるかと思えば、シックな節目をデザインに配した大きなテーブルなど、持ち家があるのなら絶対に欲しくなるものばかり。それもそのはず、知る人ぞ知る有名な銘木店で、海外にも顧客があるそうなのです。

　宝くじが当たったら、是非ともここの銘木や自然木で家を建ててみたいものです。

奈良県吉野郡天川村（てんかわむら）

北緯34度14分31秒　東経135度51分19秒
面積175k㎡　村人1079人　財政力指数0.12

　事前の情報はほとんど集めていないから、よい意味で期待を裏切られる村はいくつか出てくるのですが、ここ天川村の紅葉は素晴らしくて、本当にこれを見たから、もう京都や日光に行かなくてもいいやと思ったくらいです。

　村へ出入りする山道も絶景なまでの彩りを見せているのですが、特に洞川（どろがわ）温泉へ通じる道路へ覆い被さるようにして枝を伸ばすモミジやななかまどの紅葉の鮮やかさと言ったら、思わず道の真ん中に車を止めて鑑賞してしまったほどの素晴らしさでした。

　そして洞川温泉街の、シックでいてモダンさをも感じさせる町並みは、通り過ぎるだけではもったいない、

是非とも泊まってみたくなるたたずまいでした。

　清流天ノ川が村をつらぬき、宿泊施設や食事処もいっぱいある天川村ですが、やはり一番充実しているのは、各種長短が揃ったウォーキングです。

　まず子供連れでも歩けるのが洞川自然研究路コースで、高低差90メートルで所要時間が3時間弱と手頃です。

　本格的なアウトドア派にも、もちろんそれなりのきついコースが用意されていて、7時間半の山上ヶ岳コース、6時間半の稲村ヶ岳コース、3時間の観音峯山コース、4時間半の行者還岳コース、そして往路に6時間半、復路に5時間かかるという弥山〜八経ヶ岳コースとバラエティに富んでいるそうです、と書いてきて、何とはなしにパンフを裏返したら、もうふたつのすごいコースがありました。

　近畿最高峰八経ヶ岳・弥山から釈迦ヶ岳・前鬼へ2泊3日コースと、修験道の聖地・大峯山へ2泊3日コースがそれで、これで終わりかと思ったら、大峯奥駈道コースを1週間かけて踏破するアレンジなどもできるそうで、健脚自慢なら挑戦してみたくなるでしょうが、季節としては絶対に紅葉の時がおすすめです。

奈良県吉野郡野迫川村
（の せ がわむら）

北緯34度09分58秒　　東経135度37分59秒
面積154㎢　村人339人　財政力指数0.08

　熊野参詣道小辺路は、真言密教の総本山・高野山と
熊野本宮という二大聖地を最短距離で結ぶ参詣道で、
反対方向をたどる場合は「高野道」とも呼ばれていま
した。

　伯母子峠・三浦峠・果無峠と1000ｍ級の峠を3つ越
えて熊野本宮へと至るハードなルートで、途中は山登
りのきついアップダウンを繰り返しますが、石仏や地
蔵、苔むした石畳、茶屋跡や屋敷跡等、昔の古道の雰
囲気を数多く残しています。

　この参詣道は、ほとんどが山中を通り、昔ながらの
歩き旅を体験することができます。

　これは村役場でもらったパンフレットからの丸写し

ですが、この記述通りに高野山金剛三昧院の参道から始まる小辺路は和歌山県を貫き、水ヶ峰から伯母子峠までは野迫川村のほぼ中心部を通っていきます。

この後は十津川村から三重県に入り、本宮に達するのですが、熊野本宮からV字形に北北西に向かう大峯奥駆道もあって、両方を踏破したらすごい満足感でしょうね。

山深い野迫川村は霧の名所でもあり、村のホームページではリアルタイムで霧の名所からの中継が見られますから、雲海マニアの人はどうぞ。

マスコットキャラクター好きの人なら、これもりくんとつる姫ちゃんがおすすめです。

つる姫ちゃん　和歌とあまご料理を愛するおしとやかな野迫川村鶴姫より生まれた大和撫子。野迫川村鶴姫公園から見える景色と夜景が大好き。源平の合戦に敗れ、平家の娘である鶴姫は、宮崎県椎葉村より最愛の那須大八郎と再会しようと野迫川村まで辿り着き、出会えたという伝説があります。

これもりくん　平清盛の孫である、平家随一の美男子平維盛。維盛が最期を迎えたとされる「平維盛歴史の里」より誕生しました。笛と舞と妻をこよなく愛す、野迫川村一無口なイケメン。年齢はそれなり。村のPR活動を頑張ってくれています。

奈良県吉野郡十津川村

北緯33度59分18秒　東経135度47分33秒
面積672k㎡　村人2789人　財政力指数0.12

　行政上の村としては日本一の大きさを誇る十津川村の公式発表面積は672.38平方キロで、取材時点での人口は3241人、世帯数は1633だそうです。

　一方で東京都23区の面積は621平方キロ（別の数字もあり）、人口は963万人（昼人口はおそらく数倍）というのですから、ずいぶんと隔たりがありますね。それくらいだから、山の中を行けども行けども村役場にたどり着かないのです。

　あまりにもお腹がすいたので、役場を目前にしてお昼ご飯を食べましたが、その食堂では十津川村民の生の声を聞くことができてよかったです。なにしろ山また山の広大な面積ですから、管理しなければならない

道路の総延長も半端ではなく、然も冬は雪が多いとなれば住民の不便さは推して知るべしでしょう。だからここの話題で一番に盛り上がっていたのは、どことどこの道がトンネルになるそうだ、という話だったのもうなずけますね。

この話には続きがあって、後ほど訪ねた村役場で対応に出てくれた人が、食堂でトンネル情報を流していた職員だったという奇跡的な偶然もありましたが、人口も食堂も少ないのだから、そんなに奇跡的でもないか。

ここは前の章で書いたように、熊野参詣道小辺路と大峯奥駈道の両方が貫いていまして、親切な案内書なども用意されていますが、ファミリーで気軽に楽しめるところもいっぱいあります。

湯泉地温泉、十津川温泉、上湯温泉の主要な温泉地の他、谷瀬と二津野の両吊り橋、瀞峡、樹齢三千年と言われる神代杉、谷瀬の吊り橋なども見たいですが、なんといっても子供さんがよろこぶのは、川の上に吊られたひとり乗りのやかたを、自力でロープをたぐって進める「野猿」でしょうか。

日本一の広さを誇る十津川村ですから、路線バスも半端ではなく、大和八木駅から新宮駅まで、なんと二日がかりでの運行となるのです。途中の見所では停車時間があるので、ぶらっと立ち寄ってもその広さは楽しめそうです。

奈良県吉野郡下北山村

しもきたやまむら

北緯34度00分18秒　東経135度57分19秒
面積133k㎡　村人696人　財政力指数0.19

第1章
第2章
第3章
第4章
第5章
第6章

　この辺りは深い山々に囲まれているのですが、特に吉野熊野国立公園にかかる下北山村は山が険しくなっていて、だから途中の山道で2度もカモシカに遭遇しました。

　最初は進路の真ん中に何かが立っていますから、熊だったらすぐにバックするつもりで近づいてみたら、なんと可愛らしい大人になる前のカモシカちゃんでした。車がめずらしいのか、それとも私が殺気を発していなかったからか、ともかく直前になるまで逃げもせずに立っているから、何ともいえずに愛くるしいお目々同士で十秒ほど見つめ合ったのでした。

　2頭目はものすごい勢いで山の上から駆け下りてき

て、目の前の道をひとっ飛びに横切ると、やっぱりものすごいスピードで谷を下っていきましたが、単に動物が走っているというだけではない、神秘的な感じさえ漂わせていたのでした。

　奈良県の東南端に当たる下北山村は、世帯数500あまりで人口が900人弱という控えめさでしたが、財政力指数は0.22とまあまあの数字を出していました。それでも年間予算の8割を国からの補助金に頼っているわけであって、国が財政破綻したらどうなるのでしょうね。

　ここは有数の多雨地域とのことで、夏には千ミリほどの降雨があるのですが、冬は雪も少なくて住みやすいという長所を活かして、移住や起業の支援もしています。畑付き村営住宅などもあるそうですから、検討してみるのもいいかも知れません。

　世界遺産の大峯奥駈道が縦貫していますから、本格的なアウトドア派はそちらを走破してもよいのですが、私がとてもいいなあと思ったのは静かなたたずまいを見せる七不思議の明神池と、湖畔の池神社、そして背後の巨杉との取り合わせで、とても荘厳な気持にすらさせられました。

　池のほとりに立っていると、カワセミが飛んできて飛び去るのも見られました。カモシカといい、カワセミといい、普段はほとんど遭遇する機会のない種に出

会えることができて、実にありがたく有用だった下北山村の訪問でした。

　あとひとつ付け加えるとすると、村役場でくれたパンフレットが、素晴らしい滝の流れ落ちる写真のプリントされたビニール袋にあらかじめ入っていたことで、私のように村役場で観光パンフをもらう人は少ないだろうに、それでも普段から用意しているという真摯な姿勢に嬉しくなりました。

奈良県吉野郡上北山村（かみきたやまむら）

北緯34度08分03秒　東経136度00分00秒
面積247k㎡　村人408人　財政力指数0.19

　人口511人、奈良県南部の山奥、最寄りの駅は車で1時間30分、バスは一日1便、いわゆる「不便な土地」代表のようなこの村に、あなたは住んで見たいと思い

ますか。

　こんな自虐的なキャッチフレーズで始まる上北山村のパンフレットですが、不便さを訴えるだけでは終わっていませんでした。

　しかし「便利」を捨てても住んでいる人々が、「かみきた」にはいるのです。よほどの魅力が「かみきた」にあると思いませんか。「おくのおく」では、その知られざる魅力をみなさんにご紹介します。

　というわけで、公式パンフ「おくのおく」のページを繰っていきますと、わが村自慢との項目がありました。村民運動会、やまんなかマルシェかみきた、八目薬師弓矢祭り、ヒルクライム大台ヶ原などのローカル色豊かな催しが並ぶ中で、ふと目がとまったのが西原と小橡（ことち）の虫送りです。

　気になったので調べると、なんと400年も続く伝統行事で、先人たちの供養と、五穀豊穣を祈願して火のついた松明でお題目を唱えながら夜の山道を行列するというではありませんか。こういった行事は各地でおこなわれていたのがなくなってしまい、ひとつの村中で二つも残っているのが稀有なのだから、もっと村を挙げて宣伝してもよいくらいのものだと思いました。

　村民が総出で一人づつ火のついた松明をかかげて、山中の路を歩いてうねうねとした火灯りの連なりとなって進むのですから、これが幻想的、かつ感動的な光景

でなくてなんでしょうか。そしてこの行事を絶やさないために努力しているであろう人たちには、尊敬の念を禁じ得ません。

　情報によると、村外の人でも参加できるらしいので、正しい最新の約束事を調べた上で貴重で素晴らしい伝統行事をみなさんで支えていきましょう。私も機会があって、体力が残っていれば、是非とも参加させてもらいたいと思いました。

大阪府南河内郡千早赤阪村

北緯34度27分52秒　東経135度37分21秒
面積37km²　村人4622人　財政力指数0.33

　この村に着いてびっくりしたことがふたつ、ひとつは村役場のボロいこと、もうひとつは楠木正成が生まれた場所で実際に幕府軍と戦った古戦場が残っている

195

ことでした。

　まず最初のびっくり村役場の古さは、屋上からだらしなくはみ出している雑草の頭からも想像できましたが、中に入ると一目瞭然、古色蒼然としか言いようのない古くさい作りの建物で、さすがに建て替えの計画が進んでいるようでした。

　楠木正成は南北朝時代に活躍した武将で、毀誉褒貶はありますが、幕府の大軍をいくつかの城に迎え撃って、散々に手こずらせた人物です。次に手がけようとしている大河小説（自分で言うか）「剣魄流離譚」に登場させようと思っていたところで、実にグッドタイミングでした。

　山の上からは奈良盆地が一望の下に見られ、ミミズのようにのたくって登ってくる幕府軍の行列を見下ろしながら腕をさすっている楠公一党の不敵な笑いが聞こえてくるような感じもしました。後醍醐天皇を助け、その期待を裏切られたあともなお忠節を貫こうとした正成の生涯は、なかなか波乱に富んでいて興味深いものがあります。

　現代の千早赤阪村には、それなりの見どころ食べどころがありますが、外せないのは道の駅の棚田カレーでしょう。そのモデルになった下赤阪の棚田も、歴史ある美しさを今に残している、のだそうです。

和歌山県東牟婁郡北山村

北緯33度55分56秒　　東経135度58分09秒
面積48㎢　　村人370人　　財政力指数0.09

　ずっと奈良県の村を経巡ってきましたが、ここで三重県側に出て、唯一の北山村を訪れました。ここは三重と奈良に挟まれているにもかかわらず、なんと和歌山県の飛び地なのです。

　なぜこんなことになったかというと、昔から林業がさかんで、筏を組んで新宮まで運んでいた北山が、廃藩置県で新宮が和歌山に編入されたときに、是非私たちも一緒にしてくれと村民から声が上がり、世にもめずらしい飛び地として認められたといういきさつがあったのでした。

　高い山に囲まれた、人口450人の小さな村ですから、それなりの見どころはあるのですが、ここ北山村で外

197

せないのはじゃばらと筏でしょうか。

　じゃばらとは北山村でしか栽培されていない「幻の果実」であって、ゆずに似た果実は、スッキリした酸味と甘みの独特な風味を持ち「邪を払う」に語源が求められるとのことです。

　ある民家に自生していたたった一本の原木の持ち主が、この素晴らしい味を世間に知らしめたいと考えて調査研究の結果、従来の果実ではない新しい新種であることが判明、それからは村を挙げての栽培で、今では8000本まで増えて全国から注文が舞い込むようになったのでした。

　じゃばら果汁、じゃばらジャムにマーマレード、じゃばら飴やじゃばらドリンクまでありますが、じゃばらNRT32とは何なんでしょうか。

　もうひとつの名物としてあげた筏とは、北山川の激流を木を組んで作った筏に立ち乗りの観光客を乗せて下る「観光筏」のことで、これはあまり他の場所では体験できないでしょう。

　立ったときに両手で掴めるような高さに左右の手すりがあり、観光客はライフジャケットを着用して筏に乗り込むのですが、全長30メートルほどの杉の丸太で組まれた筏を、前後に乗った3人の筏師が巧みな棹捌きで操っていく様子は、さぞかしスリリングなものでしょう。5月から9月までの期間限定の催しですから、

興味のある人はチャレンジしてみてください。

　さてさてこれで、京都から大阪、奈良、和歌山の村々をめぐる取材が終わりました。あとは熊野三社をお詣りして、来たときの反省を活かして高速道路で帰ればよいだけです。さあ、次はどこに行こうかなあ。

◆番外エッセイ

古き良き京都よ

　お金はないけど暇だけはたっぷりある若かりし頃、京都に行きました。宿泊費を節約するために寝泊まりしたのは京都タワーの階段で、そこには一段おきに寝袋にくるまっている同類がいて、私も仲間に入れてもらいました。

　一段おきに寝るのは、もちろん階段を利用して上り下りする人が通れるようにとの配慮ですが、スカートの女性は困ったでしょうね。もちろん今では、こんな風にお泊まりはできないと思います。

　なるべくお金をかけずに歩き回るのですが、懐に痛いのは拝観料で、どうしても入りたい場所だけ入りました。一番感激したのは祇王寺で、しゃれた雪見窓の前で平家物語の一節を説いてもらったのはよかったです。

　かの清盛の寵愛を受けていた白拍子の祇王が、もっと若い仏御前に心を動かした清盛に追い出されて母や妹とともに移り住んだのがこの寺で、念仏三昧のある夜、柴の戸をほとほとと叩

く音に出てみれば、なんとそこには仏御前の姿が。祇王に替わって一身に寵愛を受けるようになった仏御前でしたが、それにつけても身代わりのように出されてしまった祇王のことが案じられ、いつか自分も同じ目に遭うかも知れないと思うとこの世があまりにも儚くて、黒髪を切って訪れたとのこと。それからは4人仲良く、末は蓮の上でとちぎって念仏三昧の日々を送りましたとさ。

　近くには、やはり悲恋物語として残る滝口寺があり、上の方に登っていくと化野の念仏寺がありました。その頃は車も通れないほどの細道でしたが、今では観光バスまで通れるように開けたらしくて、嵯峨野の旅情なんてどこかへ行ってしまったんでしょうね。

　そんな風に節約しながらの京都滞在はそれなりに楽しかったのですが、まだ資金がありながら緊急に帰らなければならなくなったのは、階段ベッドで寝ながら夕食代わりに食べたビスケットで虫歯が痛くなったからという、まことにお粗末な一席でした。

第 5 章

山形県　秋田県　青森県
岩手県　宮城県

　前回の取材から、大分あいてしまいましたが、東北のまだ行っていない場所を訪ねることにしました。

　この間に自分の車を処分してしまったので、友達の車を借ります。ついでにナビ代わりのひとりも加わって、後期高齢者トリオでの賑やかな取材旅行の始まりです。

　山形県の大蔵村は、肘折温泉で有名です。

　肘を折った老僧が、この地に湧き出る温泉に浸かったところ、たちまち傷が癒えたとの伝説が残っていて、その開湯は1200年前だそうです。

　静かな山懐に抱かれるような、川沿いのクラシックな温泉町には20あまりの宿しかなく、それだけにとて

も雰囲気がよいのです。

　4月から12月の間は朝市が開かれますが、朝市があるなら夜市があってもいいだろうとの発案から、これまたほろ酔いで回ってみたい夜市（開催日注意）もあるそうです。

　体験型としては、こけしの絵付けが楽しそうだし、楽ちんなのからハードまでのウオーキングコースもありますから、一泊といわずにのんびりと過ごしたい肘折温泉でした。

　もう一つの見所は、四カ村の棚田でしょうか。

　四季折々に素晴らしい景色を見せる棚田では、夏のある一夜だけほたる火コンサートもあるそうで、さぞかし素朴で幻想的な情景が見られることでしょう。

　私はめっぽう寒さに弱くなってしまったのですが、冬に強い人向けへのイベントなどもありますので、暖かくしてお出かけください。

山形県戸沢郡戸沢村

北緯38度44分16秒　東経140度08分37秒
面積261km²　村人3881人　財政力指数0.14

　最上川沿いにあるので、やはり最上川にまつわる説話が多く残されています。

　芭蕉が「五月雨を集めて早し最上川」の句を詠んだといわれ、義経一行もこの川を利用して逃れていったと伝わります。

　義経従者であった常陸坊海尊がここで別れて山にこもり、仙人になったといわれる仙人堂は舟でしか行けない右岸にあり、海尊ファンなら行ってみたくなるのではないでしょうか。

　農家民宿がいくつかあり、それぞれに特色があるみたいだし、巨木の里の名に恥じない大きな樹をめぐるのもよいでしょう。

　道の駅ぽんぽ館には、屋内のものとしては国内最大規模を誇る砂風呂（要予約）があるし、もちろん船下りもできます。

　東北の新大久保といっても過言ではないインパクト強めの道の駅高麗館では、チマチョゴリを着て館内で撮影すれば、気分は王妃様、とパンフレットにありますが、この部分だけは責任が持てません。気になって仕方ない人は、戸沢村へどうぞ。

山形県最上郡鮭川村
さけがわむら

北緯38度47分47秒　東経140度13分19秒
面積122km²　村人3641人　財政力指数0.16

　日本の原風景が此処にある。山形県の北部、最上地域にある鮭川村は、人口約4000人の小さな村。

　名前の由来でもある清流「鮭川」が流れ、山々に囲

まれた、四季折々の表情を見せる自然豊かな場所です。

　初めてなのにどこか懐かしさを感じる。「鮭川村」にようこそ。とはパンフレットそのままの文章ですが、やはりポイントは村名にも入っている鮭でしょう。

　80年代から人工ふ化事業を続けてきて、今でも毎年100万尾を放流しているそうです。

　漁期の10月中旬から11月下旬にかけては獲れたての新鮮な鮭が食べられるそうで、大人には味噌を塗って食べる田楽焼き、子どもには鮭のフライがおすすめだそうです。

　2月初旬からは、一本丸ごとの新切りも販売されるので、お土産によさそうです。

　また山形県内では数少ない間欠泉の出る羽根沢温泉は、肌がツルツルになることから「美人の湯」または「美神の湯」と呼ばれているので、美人になりたい、美肌になりたいという女性は、伝統ある鮭川歌舞伎を見物がてら、のんびりと逗留するのもいいかも知れません。

秋田県雄勝郡東成瀬村

ひがしなるせむら

北緯39度10分45秒　東経140度38分56秒
面積203㎢　村人2568人　財政力指数0.10

　この村には三大極楽美味なるものがあって、それが
幻の短角牛なるせ赤べこ、あきたこまち仙人米、完熟
トマト桃太郎なのです。

　神社仏閣の細工好きにたまらないのは、天神社、水
神社、平良山神社、肴沢神社のそれぞれの屋根の四隅
を支える力士や龍の彫刻です。精緻にしてダイナミッ
ク、それでいて屋根を支えるという大事な仕事を文句
も言わずに続けている姿に脱帽です。八坂神社にもみ
ごとな透かし彫りの欄間などがあります。

　家族旅行なら和紙すき体験がお勧めで、2時間程度
で作品ができますし、山菜摘み、田舎料理作りなどの
他、草木染めがしてみたいなんてわがままにも相談に

乗ってくれるそうです。

　もちろん温泉宿もいくつかあって、旅好家として個人的に行ってみたいのは栗駒山荘ですね。雲海に浮かぶ出羽富士・鳥海山を見ながら、pH2.3の強酸性湯に浸かって一杯なんて、たまりませんな。

秋田県南秋田郡大潟村（おおがたむら）
北緯40度01分04秒　東経139度57分36秒
面積170km²　村人2866人　財政力指数0.33

住み継がれる　元気な　大潟村
―未来の子どもたちのために―

　ルーラルリゾート（上質な田舎）を訪れた人々は、そのダイナミックな風景に心を奪われる。

　どこまでも続く空と大地。

　刻々と変化する四季折々の景色。

　ここだけの春夏秋冬を体感できる。とはパンフレットの丸写しですが、八郎潟の干拓地に入って、その北

208

海道的ひろびろ感にビックリしました。本州でこれほどまでに平地が広がっている場所はここだけだろうし、それがまたきれいに手入れされていて、本当に心洗われるような光景です。

　資料によれば海抜ゼロメーターよりも低いそうで、なんだかオランダを思い出しましたが、干拓堤防はコンクリート製なので、蟻の穴を心配する必要はなさそうです。

　温泉マニアなら素通りできないのは、全国的にみても希少価値のあるモール温泉でしょう。火山活動由来の温泉と違って、地下での植物堆積物を多く含み、温泉熱の人体皮下浸透度が非常に効率的であり、天然保湿成分が多い湯はまろやかな美肌効果があるそうです。

　それにしても不思議なのは、大潟村の真ん中で、北緯40度線と東経140度線が交わっているのに、観光パンフレットでひと言も触れていない点です。日本の領土の陸地で、10の倍数の緯線と経線が交差しているのはここだけであって、唯一無二の立地なのです。

　他の村では北緯41度線が通っているだけで宣伝材料にしているところもあるくらいですから、もっと大々的に喧伝するなど活用しないともったいないのではないでしょうか。

秋田県北秋田郡上小阿仁村

北緯40度03分48秒　東経140度17分44秒
面積256km²　村人1848人　財政力指数0.11

　森に住むこあぴょんは、村で栽培している「フルーツほおずき」が大好き！　たくさん食べすぎて体がオレンジ色になってしまいました。

　その美味しさをみんなに知らせたくて、「フルーツほおずき」を使ったレシピをたくさん考えました。

　ある日、自分で作った「ほおずきお菓子」をカバンに入れ、森から里山へ下りてきました。

　しかし、自分がクマだと知られると怖がられるので、こっそりウサギの頭巾をかぶりました。

　本当にこんなお茶目な生き物が飛び出してきそうな山は、みごとなブナや天然の秋田杉の美林で彩られて、空気までが澄み切っておいしいのです。

　11コースもある太平山登山、すべての沢が好ポイントの渓流釣り、そして林野庁選定森の巨人たち百選に入っているコブ杉も楽しめます。

　それにしても、ほおずきは食べたことがなく、せいぜい中身を抜いて音を鳴らすくらいだったのですが、ここの食用フルーツほおずきは糖度が13〜16と高く、甘酸っぱく爽快な味に誰もが魅了され、恋人も忘れるくらい虜になるから「恋どろぼう」と呼ばれているそうです。

　シロップ漬けやジャムにすればおいしく、お土産としても売られていますからほおずきマニアはどうぞ。

青森県南津軽郡田舎館村

北緯40度37分52秒　東経140度33分01秒
面積22㎢　村人6996人　財政力指数0.25

　ナビの指示するとおりに、ひたすら田舎館村役場を目指してひた走ると、忽然として前方に天守閣が出現しました。はて、こんな場所に城が残っていたのかとの不審は、それが村役場の一部であり、天主が田んぼアートを見下ろす展望台になっているとの説明で納得しました。

　ここを訪れたことのない人は、天守閣とは大げさな、と思われるでしょうが、本当にちょっとした本物のお城の天守閣くらいの大きさでそびえ立っているのです。

　季節は早春ですから、毎年デザインが変わるという田んぼアートは見られませんでしたが、是非とも実りの秋には再訪してみたい田舎館村でした。

青森県中津軽郡西目屋村
にしめやむら

北緯40度34分39秒　　東経140度17分50秒
面積246㎢　　村人1190人　　財政力指数0.09

　西目屋村は、面積の93パーセントが林野で占められた山峡の村ですが、村役場が財政のわりには立派なのでビックリしました。けれども、2020年に津軽ダムの旧工事事務所に移ったときいて納得しましたが、最初の計画段階から村役場として活用するアイディアだったとしたら卓抜ですね。

　突然ですが、ここでクイズです。「わんつかだ　みっこも　やがぐねんで　いー　わらはんど　だな」はこの村の方言ですが、さて標準語に直すと、なんと言っているのでしょうか。

　ここに来る途中で道に迷ってしまい、男の人に道を尋ねたのですが、親切に身振り手振りを交えて教えて

第1章　第2章　第3章　第4章　第5章　第6章

くれる言葉の半分も理解できないことがあって、そんなことも思い出して広報にしめやから引用させてもらいました。

　方言をけなす気持ちはさらさらありませんが、あれで道を尋ねるというシチュエーションだから身振り手振りで理解できましたが、複雑な事情を伝え合わなければならない場面では難渋するでしょうね。

　上記の出題の答えは、私にも分かりません。何しろ日曜日の訪問で取材ができずに、後から送ってもらったパンフレットでこの記事を書いているのだから、おそらく読者も隔靴掻痒の感を抱いているでしょうし、書いている私自身も同様の思いです。

　引用ついでに編集後記から。

　巷でちょっとした話題になっている、ティラノサウルスレース。2月12日に弘前市で開催されましたが、その前日、西目屋村にも2頭のティラノサウルスが小学校のグラウンドに出現。グラウンドで暴れたあとは、道の駅まで散歩をし、自販機でジュースを買っていました。

　財政が0.14と厳しいからでしょうか、ふるさと納税にかなり力を入れているみたいですが、お礼のひとつとして「水陸両用バスご乗車」というのがあります。大自然の風景に囲まれた村内をドライブ後、津軽白神湖へスプラッシュイン！　ダム湖を周遊します。とい

うもので、いっそのこと、こちらを観光の目玉にした
方がよろしいのではないでしょうか。

青森県東津軽郡蓬田村
よもぎたむら

北緯40度58分18秒　東経140度39分22秒
面積80㎢　村人2373人　財政力指数0.16

　青森駅からJR・車で約30分の蓬田村は、北緯41°の
村、なんて風に、経度線が一本通っているだけでも観
光地図に載せているくらいなのだから、二本も交差し
ていたら‥‥。

　陸奥湾に面した蓬田村には3つの山があり、整備さ
れた登山道はヒバやブナの林に囲まれ、季節の花々が
登山客を迎えてくれます。

　夏は玉松海水浴場で水遊び、毎年8月第一日曜日の
海まつりでは、蓬田村名産のホタテの無料試食会もあ

るそうです。

　ここからは陸奥湾フェリーが出ていて、下北半島の脇野沢を1時間ほどで繋いでいます。日に2便のフェリーは下北半島へ行くのに便利で、私たちも利用しようとしたのですが、時間的な制約で断念しました。

　この程度しか記事がないので、困ったときのキャラクター頼み、ヨモットくんにご登場願いましょう。

　僕は蓬田村のヨモと、トマトのトからヨモットくんと名付けられました。僕から蓬田村のトマトについて簡単な説明をするよ。

　蓬田村は昭和40年代頃からトマトを作り始め、その後昭和50年代にハウスの増設、集出荷施設の整備を行い、農家さんの栽培意欲の向上と共にトマト栽培が本格化し、一大産地となったんだ。

　ちなみに蓬田村は、この地域特有の「やませ」により夏場に昼と夜の寒暖差が生まれるんだ。この気温の低下から身を守るために養分をため込むことで、より旨味のあるトマトができるんだよ！

青森県下北郡佐井村
（さいむら）

北緯41度25分47秒　東経140度51分33秒
面積135km²　村人1571人　財政力指数0.26

　この村で獲れるウニは、個体が濃い紫色をしたキタ
ムラサキウニという種類。ウニ漁は4月初旬に解禁と
なり、6月上旬頃までは沖合の「かご漁」で、それ以
降は8月中旬頃まで沿岸近くの浅瀬でヤスで突く「突
き漁」で行われる。特有の臭みがなく、濃厚で上品な
甘さと旨味が凝縮されたウニを味わえるよう、丁寧に
内臓を取り除いてくれている漁師の方々には脱帽であ
る。自慢のウニは村内の食堂で食べることができ、ま
た塩だけで仕上げた「甘塩ウニ」は村外の物産店でも
購入可能だ。

　いきなりのウニ自慢から始まりましたが、ここ佐井
村でもっとも有名なのは仏ヶ浦でしょう。季節によっ

て微妙に色合いを変える山と、エメラルドブルーの海に挟まれて、白い巨岩が屹立している情景は、この世のものとも思えません。

屏風岩、一ツ仏、蓮華岩、五百羅漢、そしてシンボル的存在の蓬莱山などを効率よく見て歩くには、やはり遊覧船の利用がお勧めです。と言うか、船で海上から眺めなければその全貌が掴めないほど、スケールの大きな場所なのです。

佐井村に来たら見ずには帰れぬ、とパンフレットにも載っている仏ヶ浦なのに、残念なことに、私は訪れることができませんでした。なぜなら同行のふたりが先を急ぐからで、今回の取材旅行では一番心残りな場所となったのでした。

村役場でもらった資料の中に、面白い数字があったので羅列してみます。

平成30年版ですが、出生が60日にひとり、死亡が8.7日にひとりという、超現実的な数字に続いて、転入が8.3日にひとり、転出が5.4日にひとりという、これまた悲観的な数字が出ています。ところが驚いたことに、結婚が40.6日にひとりに対して、離婚が0件となっているのでして、これはいったい何を物語っているのでしょうか。

青森県下北郡風間浦村

（かざまうらむら）

北緯41度29分1547秒　東経140度59分45秒
面積69k㎡　村人1478人　財政力指数0.09

　活きたまま水揚げされた「きあんこう」。漁場が近い
風間浦村でしか味わえない鮮度と絶品のうまさ。全国
でも珍しい鮟鱇の刺身を食べることができるのは、風
間浦村の漁場条件の良さと、老舗鮟鱇料理店直伝の活
締め技術があるから。

　見た目は食欲をそそらないが、食してみれば姿形か
ら想像もできないほどの美味である、と言われる鮟鱇
は東京では高級食材になり、残念ながら私は食べたこ
とがありません。ところがここの鮟鱇祭り期間（12月
〜3月）中は、提供店で気軽に食べることができると
いうのです。

　その種類としては刺身、ともあえ、煮こごり、あん

きも、あんこう鍋などがあり、さらに握りを加えたフルコースなどもあるのだそうで、鮟鱇好きにはたまらないでしょう。

　本州最北端の村を謳う風間浦村のもうひとつの魅惑にあがっている下風呂温泉郷では、遊（湯）めぐり体験ができるし、ひば木工体験、イカ釣り体験、布海苔採り体験ツアーなどもあるのですが、元祖・烏賊様レースというのが気になって仕方ないぞ。

青森県下北郡東通村
ひがしどおりむら

北緯41度16分41秒　東経141度19分46秒
面積295㎢　村人5554人　財政力指数0.91

「東通天然ヒラメ刺身重」は、3回に分けて配膳されます。

　1回目が食前スープと歓迎の一皿、2回目がお刺身・

鍋物・重物で、3回目がデザートというラインナップですが、2回目に配膳される内容がすごいのです。

天然ヒラメのちらし重、塩辛重、味噌カツ重が三段重ねで、天然ヒラメの活〆、スペシャル神経〆、昆布〆、野菜巻き、エンガワの五点盛りに、天然ヒラメとタコの熱々アクアパッツァ＆イタリアンリゾットと香の物という豪華さです。

しかもこの材料とこのボリュームで、お値段が全店共通の税込み1900円と来ました。東通村にある食堂とレストランで、この値段で供給できる（じゃらん情報）ということは、何か裏があるのではないでしょうか。

そして「東通天然ヒラメ刺身重」以上に豪華なのが村役場でして、ふんだんに天然木を使った役場と議場、そして体育館は○△□のデザインになっていて、聞くところによれば天地人をあらわしているそうです。

村役場の人に聞くと、財政力指数は0.66とのことで、今まで訪ねてきた貧乏な（失礼）村とは大違い。時間がなくて詳しく聞けなかったのですが、後日ネットで調べてみると、その理由に納得しました。

東通村には青森県初の原発があって、2005年12月に営業運転を開始したのです。それが東北電力の1号機（改良型沸騰水型原子炉ABWR）で、しかも2号機に続き、東京電力の1号機の分まで用地買収が終わっているそうなのです。

それでようやく村役場が場違いに豪華絢爛であるわけが分かりましたが、そんなに財政に余裕があるのなら、お隣の風間浦村（0.09）に少しばかり分けてあげたらいかが？。

　尻屋崎灯台や寒立馬、ヒバの埋没林などで名高い東通村では、原発があるのを隠しているわけではないでしょうが、積極的にはPRしていなくて、原発そのものがある場所を「トントゥビレッジ」などと称して煙に巻いていました。

青森県上北郡六ヶ所村（ろっかしょむら）
北緯40度58分02秒　東経141度22分28秒
面積252km²　村人10078人　財政力指数1.64

　東通村に比べて、ここ六ヶ所村は原子力関連事業を大々的に売りにしています。この違いが財政力指数に

も表れていて、おそらく日本の村の中でも有数の豊かなところなのでしょう。

　2021年度10月に閣議決定された第6次エネルギー基本計画では、資源の有効利用、高レベル放射性廃棄物の減容化、有害度低減等の観点から、使用済燃料を再処理し、回収されるプルトニウム等を有効利用する「核燃料サイクル」の推進が基本方針として示されており、六ヶ所村には核燃料サイクルの中核となる六カ所再処理工場やMOX燃料工場をはじめとした関連施設が立地しています。

　六ヶ所村は、これまでも他に先駆け原子燃料サイクルや様々な再生可能エネルギーに積極的に取り組んできました。

　そこで得られた技術や知見をさらに進化させ、エネルギー・ひと・地域が共に力を合わせ、豊かな未来の実現に向け、挑戦し続けていきます。

　以上は「六ヶ所村と原子力燃料サイクル2022」からの引用ですが、そもそも原子燃料サイクルそのものが破綻していると言われて久しく、むなしさを感じないのでしょうか。そして展望のまったく開けない開発協力と称しての税金の分捕りに、やましさを覚えないのでしょうか。

　いずれの為政者も、自分の代の内は過酷事故など起こらないと楽観しているのでしょうが、せめてミサイ

ル攻撃に備えて花火でアルミチャフを打ち上げる装置とか、重装備をしたテロリストが中枢部まで入れないような何重もの扉とかは備えた方がよろしいのではないでしょうか。

青森県三戸郡新郷村（しんごうむら）

北緯40度27分57秒　東経141度10分24秒
面積150㎢　村人1989人　財政力指数0.12

　青とうがらしラーメン＝鶏ガラを中心に煮干しや地元産のニンニクを加えたバランス良いだしに、青唐辛子ペーストを合わせた味わい深いスープがたまらない。のどごし良い細ちぢれ麺に、自家製肩ロースのチャーシューとシャキシャキの白髪ねぎ、水菜をトッピング。添えられた輪切りレモンの酸味が旨味を引き締めます。
　濃い煮干しラーメン「わしにぼ」＝煮干しだしとい

えば青森の「極にぼ系」が有名だが、ここ新郷村の煮干しラーメンは「片口」と「平子」の2種類の煮干しをじっくり煮込んだ魚介系スープに、隠し味の鳥がらスープを加えた「濃い口ダブルスープ」が決め手。スープがよく絡む中太麺に、自家製チャーシューと岩海苔、メンマ、ネギをトッピング。一緒に添えられた玉ねぎのみじん切りの甘みで、深みのあるマイルドな味わいに仕上がっている。まさに津軽と南部の煮干し系ハイブリッドラーメンだ。ご希望の方には細麺での提供も可能。

キリストラーメン＝鶏ガラベースの醤油味スープに梅干しの酸味とたっぷりの大葉が絶妙にマッチした爽やかな味わいが特徴。麺はもちろん「細ちぢれ麺」。キリストは肉を食べなかったと言い伝えられていることから、チャーシューの代わりに特産の長芋をトッピング。お麩の上にちょこんと乗った六芒星型のなるとがかわいらしいオリジナルラーメン。新郷村に来たなら一度は食べたいラーメンだ。

角煮ラーメン＝大きな豚肉の角煮がどんぶりの真ん中を占め、周りをたっぷりの白髪ねぎが囲む。たっぷり時間をかけて煮込んだ手作りトロトロの角煮チャーシューは脂っこさがなく、醤油系あっさりスープとのバランスが絶妙。地元で愛される、細ちぢれ麺との相性も抜群！　一見、肉系のガッツリラーメンのようだが、さっぱりしたキレのある後味が特徴。コラーゲン

たっぷりボリューム満載、No.1あっさり系肉ラーメン。

　番外編油そば＝一見すると、麺の上に具材が乗っただけのシンプルないでたちだが、麺をかき混ぜるとどんぶりの底から一味唐辛子が効いた醤油ダレが顔をのぞかせる。しっかり混ぜ口にするとこれが絶品！　えびす屋に来たらこれ一択！という地元客も多いのだとか。

　突然のラーメン話ですが、新郷村でもらったパンフレットの、ラーメンの写真があまりにもおいしそうなので、ついつい全文を掲載してしまいました。

　ところで唐突に出てきたキリストラーメンですが、「ゴルゴダの丘で磔刑になったキリストが実は密かに難を逃れ、日本に渡来して106歳の生涯を閉じた」伝説の舞台が、キリストの墓が発見されたここ新郷村である、とのお話からつけられているのでしょう。

　ここでは、大自然に囲まれた野外活動も楽しめそうです。

　間木ノ平グリーンパークの最大の魅力は、何といっても、戸来岳を望む標高350mの高原に広がる65haという広大な敷地。その中に、最大500人を収容できるキャンプ場をはじめ、28区画の第一オートキャンプ場、8棟のバンガローやコテージなど、様々なキャンプに対応できる施設が整備されています。と観光パンフレットにもあるグリーンパークは、女性専用サイトも設けられていて、誰でもが安心してお泊まりできるように

配慮されています。

　だから新郷村では、昼間はラーメンをはしご、キリストの墓をお参りして鷲ノ湯に入り、夜は満天の星空の下でベーコンを使ってのキャンプ飯、あたりが正しい過ごし方ですかね。

岩手県九戸郡九戸村

（くのへむら）

北緯40度12分41秒　東経141度25分08秒
面積134km²　村人5010人　財政力指数0.17

　こんにちは、九戸村です。はじめてお便り申し上げます。

　九戸村は、岩手県北部の内陸に位置する小さな村です。夏は冷涼な季節風が吹き、冬は雪と氷に包まれるきびしい気候風土。でも、だからこそ育まれてきたものもあるんですよ。

ミズバショウの白とカタクリの紅紫が描く、鮮やか
なコントラスト。ヒメボタルが光のファンタジーを奏
でれば、人は祭りで短い夏を楽しみつくす。

　山間を吹き降りる風が冷たさを増す頃、大いちょう
が広げる黄金色のじゅうたん。

　職人の手から生み出される、繊細にしてモダンな手
しごとの品々。四季折々の風景や、暮らしの知恵。ど
れもどこか懐かしく、ぬくもりを宿しています。ちょ
うど、村の炉端で語り継がれてきた、ふしぎな昔話の
ように。

　お忙しい毎日をお過ごしのことと思います。ときに
は歩調をゆるめて、九戸村に寄っていきませんか。山
の恵みをどっさり用意して、お待ちしています。敬具
・・・・とは、なんと控えめで奥ゆかしいパンフレットの
扉文句ではありませんか。

　南部せんべいや南部箒、浄法寺漆などで有名な九戸
村には、ほかにも面白い言い伝えが残っています。

　昔むかし、若者が折爪の山で働いていると、見たこ
ともない生き物と出合いました。腰から上はフクロウ、
下は人間のようで、ことばを話します。ほどなく庄屋
の家に住みつき、「ドデン、ドデン」と大きな声で鳴
くことから『ドデ』と呼ばれるようになりました。

　ふしぎな力を持つドデは、明日の天気から人の運勢
までピタリと言い当てます。庄屋のもとには人々が詰

めかけて供え物をするものだから、庄屋は大金持ちに。

　ある日、お金があふれ出る賽銭箱とふんぞり返る庄屋を見たドデは突然「シラン・シラン・ドデン・ドデン」と叫びながら、折爪の森深く飛び去ってしまいました。

　以来、ドデの姿を見た人はいません。けれど今でも時折り、近くの森でそれらしい声を聞くことがあるそうです。

岩手県九戸郡野田村（のだむら）

北緯40度06分37秒　東経141度49分04秒
面積80k㎡　村人3719人　財政力指数0.16

　これまでめぐってきた村々には、いろんなキャラクターがいましたが、個人的にはここ野田村の鮭の稚魚をモチーフにしたのんちゃんが一番好きです。というのも、私の子ども時代のあだ名が「のんちゃん」で、

ひとしお愛着があるからでしょう。

　普通のガイドブックなどでは、こんなえこひいきは
しないのですが、どっこい私は偏見とひとり飲み込み
の達人だから、構わないのです。

　そんな風に、安家川生まれの鮭の子どもをキャラク
ターに採用しているにもかかわらず、ここでの一番の
推しは荒海ホタテなのです。

　野田の荒海ホタテを見たら、きっと誰だって驚きま
す。はみ出しそうなほど大きく肉厚の貝柱。プリプリ
の食感と、ぎゅっと詰まった甘みと旨味。「ホタテな
ら、荒海ホタテがいちばん」と、地元の人々が得意気
に話す理由がよくわかります。

「旨いホタテを、たくさんの人に食べてもらいたい」
その固い信念のもと、荒れた海に船を出す漁師と、彼
らを支える家族や仲間たちが荒海団です。口ベタだけど、
心は熱い。村の子どもたちが「荒海団に入りたい！」と
言ってくれる日を夢見て、学校の給食時間に「荒海ホタ
テ」や「荒海ワカメ」の漁について語ったり、全国的に
も珍しい方法で「荒海カキ」を育てたり、おいしい海
の幸を届けるため、日々たゆまぬ努力を続けています。

　上の文章の中でもさらりと触れられていますが、や
はり日本全国どこの村でも後継者不足は深刻なのでしょ
うね。それもこれも政治の貧困だ、とは言いませんが、
平成の大合併の嵐が吹き荒れる中を、自らが選択して

残った183の貴重な村ですから、なんとか自助努力で頑張ってもらいたいものです。

岩手県下閉伊郡普代村

北緯40度00分19秒　東経141度53分09秒
面積69㎢　村人2303人　財政力指数0.14

　ここ北緯40度東端の地球村ふだいと並ぶ主な都市としては、ニューヨーク・ソルトレイクシティ・北京・敦煌・バクー・アンカラ・ターラント・マドリードなどがあるそうです。

　ご当地こんぶキャラクターは、平成26年デビューのえんぞーとすっきいのふたりで、名付けてコンビブラザーズ。

　普代村でもさまざまな体験ができますが、中でも興味深いのが、9月から12月の「サケの定置網早朝網起

こし体験」でしょうか。

　そしてサケといえば、忘れてならないのがつまみで、お取り寄せカタログに旨そうなのが載っていたのであげてみます。

　サケの頭の軟骨をスライスしたコリコリがくせになる‥氷頭なます。

　油ののった三陸沖で獲った鯖をほの甘いみりん干しで個別包装‥鯖みりん五枚セット。

　獲れたてを干したイカの旨味焼いたら箸が止まらない‥真イカの一夜干し。

　そのままでのん兵衛の逸品醤油やバターで調理しても‥鮑としる。

　ふわふわ上質の子女子の秘密は獲れたてを湯あげて即冷凍‥釜揚げ子女子。

　元気な活タコだけをそのまま炙りました（添加物一切不使用）‥炙りタコ。

　炙りとレモンの風味が効いた洋風仕上げのタコのくち‥北三陸タコとんびバル。

　旬のほやでつくる肉厚な塩辛絶妙な塩加減はリピーターも‥ほやの塩辛。

　たこ、いか、ウニ、イクラなど普代産食材を生かした9つの味‥普代の浜小鉢。

　刻んだすき昆布を麹や無添加調味料で煮つめました‥きらうみこんぶの甘辛煮。

　大きな椎茸が丸ごと入ったオイスターソースの深い味わい‥ごろっと椎茸とろっと旨煮。

　こりゃいかん、まだ真っ昼間だというのに、カタログを見ているだけで飲みたくなってしまったではないか。

　と言うのは半分冗談ですが、真面目な話、古き良き名残を色濃く残している普代村は、海沿いではあの大津波から唯一助かった場所であって、それというのも昭和の時代に、非難の嵐を物ともせずに作られた太田名部水門のおかげで、先見の明がある人はいるんですね。

岩手県下閉伊郡田野畑村 (たのはたむら)
北緯39度55分50秒　東経141度53分20秒
面積156km²　村人2845人　財政力指数0.12

　気も遠くなるような1億年前の白亜紀の化石層が見られる断崖、みごとな列を作って連なる絶壁、そして小

さなサッパ船でしか通過できない奇岩岩穴の数々、それはまさに海のアルプスの呼び名に恥じない景勝です。

　200メートルもの絶壁が連続する鵜の巣断崖、白亜紀宮古層群が海に突き出したひらなめ・ハイペ・コイコロベ海岸、奇岩怪石と大小の海蝕洞窟などが8キロにわたってダイナミックに続く北山崎など、その迫力はすごいとしか形容できません。

　パンフレットの写真を見るだけでも大迫力の断崖絶壁は、観光船や小型の磯船で海から眺めるだけでなく、白亜紀の岩肌を間近に見ながらのダイビングなどもできるそうですから、興味のある人は机浜番屋でおたずね下さい。

　この海岸線を楽しむもうひとつの方法は、崖近くまで迫っている「みちのく潮風トレイル」を歩いてみることです。これは青森県八戸市から福島県相馬市までの、海岸線を中心に設定されたトレイルコースで、当然ながら前出の野田村と普代村も通っていましたが、ここ田野畑村でのルートが海岸線に近くて気持ちよさそうです。

　全長で千キロにもなるという「みちのく潮風トレイル」ですが、全部を歩き通した健脚の人はいるのでしょうか。

宮城県黒川郡大衡村

おおひらむら

北緯38度28分02秒　東経140度52分47秒
面積60㎢　村人5560人　財政力指数0.67

　いよいよ今回の、後期高齢者トリオによる東北地方の村めぐりも、最後の大衡村になりました。東北道の大衡インターを下りて、すぐのところに村役場がありました。

　職員にもらったパンフレットには、万葉の里おおひらとあって、あとの2冊も昭和万葉の森の案内です。いろいろな縁があっての万葉びいきですが、この森を通っている小径にしゃれた名前がついていて奥ゆかしいのです。

　いわく、あきつはらの道、ねぶ・わすれぐさの道、もみぢばの道、かたかごの道、ぬばたまの道、ときはまつの道、しろたへの道、あしひきの道、などなど、

名前を耳にしただけで散歩したくなるような道の傍らには、何本もの連理木が点在しているというのだから魅力的です。

そんな説明を聞いて納得、帰り際の最後に財政力指数をきいてビックリ、なんと0.77と言うじゃありませんか。

今回めぐった村では、原子力関連の補助金がもらえていないところはすべて、かなりの低い数字ばかりだったので、この指数は原発関連がない村にしては驚異的な高さです。

勢い込んで質問すると、その理由が分かりました。村内には大きな工業団地がいくつもあって、トヨタ自動車東日本（株）をはじめとする大企業がたくさん誘致されていたのです。

これは東北道に近いとの地の利をうまく活用した好例で、財政に余裕があるせいか、道理で万葉大使のきょうちゃんもあかまつくんも、おっとりした表情をしているわけです。

第 6 章

埼玉県 千葉県 茨城県
群馬県 長野県

北海道

青森
秋田 岩手
山形 宮城
新潟 福島

石川 富山
福井 長野 群馬 栃木
岐阜 埼玉 茨城
鳥取 京都 滋賀 山梨 東京 千葉
島根 岡山 兵庫 愛知 神奈川
広島 大阪 奈良 三重 静岡
山口 香川 徳島 和歌山
福岡 愛媛
佐賀 大分 高知
長崎 熊本
宮崎
鹿児島

沖縄

埼玉県秩父郡東秩父村
ひがしちちぶむら

北緯36度03分29秒　東経139度11分41秒
面積37k㎡　村人2480人　財政力指数0.20

　あいにくの雨で、自転車では走れませんでしたが、それなりに情報は収集しました。

　前日泊の寄居から、バスで東秩父村に入りました。本当は寄居から自転車で入村予定だったのですが、バスで走って本当によかったと思ったのは、けっこう急な峠越えがあって、途中リタイアは確実だったと思えたからで、むしろ小川町駅からの方がゆるやかな上り道で自転車には快適だと思います。

　バスが終点の「和紙の里」についたときにはザンザ降りで、途方に暮れました。それでも取材費を使っていますから、情報は集めます。

　まず村内で最大の見所は、ここ和紙の里でしょう。

この時は大規模な増築工事中で、なんでも道の駅を併設する予定らしいですから、楽しみです。

　ここで一番のお楽しみは、なんと言っても和紙づくり体験で、子供も大人もエンジョイできること間違いなし、おまけに作品も持ち帰れるのですから、いい思い出になるでしょう。茅葺き屋根の古民家や、おそばのうまい（多分）食堂、和紙のお土産がいっぱい揃っているお店も併設されていますし、和紙づくりを丁寧に説明するビデオなどもありますから、半日くらいはいられるのではないでしょうか。店内に写真が飾られていますが、広い庭が四季折々の表情を見せ、それぞれの季節ごとにみごとな庭園美をかもしだしていますから、近くの人は、少なくともシーズンごとに訪れるといいでしょう。

　この他には、釣り堀、牧場、ミカン農園、キャンプ場、花の名所などが村内に点在し、お神楽や獅子舞、神送りなども見られるそうで、興味のある人は調べてから行ってください。

　コスプレ好きの人には、おおっぴらにコスプレをして、街道を練り歩くことができる行事も用意されています。彼岸花の季節に安戸界隈で企画されているもので、着替え室などもありますから、堂々と扮装して歩くチャンスでしょう。

　ハイキングコースもいっぱい用意されていて、1キロ

強の手軽なルートから、15キロ程度の本格的なコース
までありますから、心臓と脚力に相談しながらチャレ
ンジするとよいでしょう。

　お泊まりとしては、グループなら和紙の里に宿泊で
きますし、車ならキャンプ場という手もありますが、
個人ではむずかしそうです。

　以上は実際に自分の目で確かめた情報なので、ほぼ
100％の約束ができるのですが、ファミリー向けにもう
少しお役立ち情報を。ただし観光マップを見ながらな
ので、信頼度は50％くらいに考えてね。

　ハイキングなら、安戸でバスを降りて官ノ倉山まで
1.3キロ（標高344メートル）、臼入山（421メートル）ま
で縦走、和紙の里に戻るコースで6.2キロです。官ノ倉
山から戻ってもいいのですが、いずれにしてもファミ
リー向けと見受けました。

　バス停大宝から上り始めて皇鈴山、愛宕山（660前
後）の中腹をめぐり、内手に帰る（反対コースも可か）
のは、二本木峠コースで9キロとなっています。これに
は登谷山（668メートル）の山頂までが含まれているの
で、そこをはずせば中級者向けでしょう。

　もっと本格的にハイキングをエンジョイしたいのな
ら、大霧山（標高766メートル）に登るとよいでしょう。
このマップからではどの程度の登りかわかりません
が、バス停橋場から白石車庫まで9キロだそうです。

　一番長いのは、和紙の里から堂平山（875メートル）を走破、白石峠から白石車庫までの全長14.5キロで、個人的には歩いてみたくないルートです。

　自転車ファミリーは、中学生くらいからにしておいた方がよさそうです。ただ道から見える家々の点在具合が、どこかスイスを思い出させたりして素敵ですから、自転車で走るのも悪くないでしょう。

◆番外エッセイ ────────────────

自転車のこと

　自転車は昔から好きで、奥の細道全ルートををを自転車でたどったこともありました。「奥の細道を自転車で走る」というタイトルの本にしたかったので、いくつかの出版社に打診したのですが、結局はお蔵入りになってしまい、日の目を見ることはありませんでした。

　日本全国の村めぐりを思い立った時に、走れるところはなるべく自転車で走ろうと考えたのです。

　そこでいろいろと調べましたが、帯に短かしたすきに長しと言うのか、なかなか気に入ったのが見つかりません。軽量だと強度が不足、頑丈だと重いという二律背反で悩みましたが、その矛盾する要求を満たすのがダホーンだったのです。アメリカ設計で中国組み立てという訳の分からないところは置いておいて、決定的な魅力は重量でした。

なんと11.7キロで6段変速なのですが、これは奇跡的とも言えます。単一ギアだともっと軽いのもありますが、やはり最低でも6段程度の変速装置は欲しく、タイヤも20インチは譲れないので、そうなると14キロくらいにはなってしまうのです。

　実際に購入して、箱入りの状態から軽いのにびっくりしました。組み立ても3ステップで、乗り心地も上々です。あとは持ち運びの利便性ですが、これも工夫次第で楽になります。最初はハンドル下の折れ曲がり部分を持って転がしましたが、これはくたびれます。そこでサドルを伸ばして長く突きだし、そこを持って前に転がすと、これが実に快適ではありませんか。少し大きめのバッグを上からかぶせて、サドルだけ出すようにすれば、いくらでもダブルタイヤを転がして歩けます。

　これは初期のスタイルで、何度かこうして運んでいる内にもっと快適なやり方に進化しました。もっと楽な方法はないかと模索していると、画期的なキャリアーが見つかったのです。

　アルミ製の持ち手と荷台に大きな車輪が二つ付いているもので、しかもこれがパタンと閉じて平べったくなるという優れものです。ここに折りたたんだダホーンを載せてカバーをかぶせれば、その中に収納した荷物も外から見えないのです。そして走行中はキャリアーを自転車の後ろにくくりつければ、荷物を積んでどこまでも文句も言わずについてくるのです。

　さて自転車そのものですが、実際の走りはトップが軽くて物足りない感じはあるものの、歩く速度の3倍程度走れれば御の字となれば、文句はありません。ローではかなりの急坂でも上

れますから、これもクリアーでしょう。

　安くはないので（定価は5万円程度で、店舗によって違う。私はネットで最安値のすぐ上の4万3千円くらいで買った）考えどころですが、コストパフォーマンス、転がし安定性、走行快適性、軽さなどの点でダホーン6段変速がおすすめです。

千葉県長生郡長生村
ちょうせいむら
北緯35度41分22秒　　東経140度35分42秒
面積28㎢　村人13300人　財政力指数0.50

　久しぶりに土日ともに晴れ予報が出たので、かねて計画していた長生村を訪れることにしました。千葉県唯一の行政上の村であって、期待感は大ですが、はたして現地はどうでしょうか。

　ちなみに私の家は立川市で、電車では3時間弱の行

程です。宿が取れなかったので、あまり取材対象が多くないのであれば、泊まらずに家まで帰ってきてもいいという気分で中央線の人となりました。

外房線の八積駅で降りると、駅の構内に案内所がありますから、ここでマップをもらいます。さっそく折りたたみ自転車（ダホーン）を3ステップで組み上げて出発しましたが、カルガモ農法をするらしい田んぼが時期外れの淋しさを見せて、期待にたがわぬ田舎風景が広がります。

そんなのどかな景色をのんびりと走って行くと、突如として田園風景には不釣り合いな近代建築が目に飛び込んできましたが、それが村役場でした。

敷地内には他にも公共施設が並びますが、それのいずれもが都会のど真ん中にあってもおかしくないほどの豪華さを醸し出しているのでして、なんだか不思議な感じがしました。古き良き（？）土建屋全盛期の日本が凝縮した姿を現代に示しているのであれば、立派な反面教師的村役場であると感じ入った次第であります。

マンホールの蓋が鶴亀のデザインになっているとか、それなりの雰囲気を漂わせている鈴賀神社にお参りしたりしながら、ひたすら東に走り続けると、ようやく潮の匂いがしてきて、そこが長生村唯一の観光ポイントともいえる一松海岸でした。

サーファーが波に乗っていましたが、それだけのこ

とでした。トイレはあるものの、シャワー設備などは見当たらず、サーファーさんは持参の水で体を洗っていましたが、箱物ばかり作らずに、温水シャワー程度の設備はしてもバチは当たらないんじゃないかと本気で思いました。

だってサーファーで持っているような一面もある長生村ですから、少しは予算を割いたらいかがでしょうか。

ちなみに波が荒くて、地元の人に聞くと突発的に潮の流れが変わったりもするので、小さなお子さん連れでの海水浴はあぶないと思います。

そうなるといよいよサーファー頼みとなるのですが、同じような海岸が連続している中で、隣接する市町が観光に力を入れているとなると、いつしか取り残されてしまうのではないかとの危惧を感じずにはいられませんでした。

海岸近くの一等地に、太陽の里という巨大施設があり、宿泊から食事、お風呂まで大規模大資本一貫経営の強みを発揮していますが、あれなどは地域がさびれていく典型的な形だと思いますね。

小さな温泉地などで、泊まり客が適当に町に出かけてお金を使い、小規模ながらに息長く続いてきた場所が、大規模なホテルができて宿泊客を囲い込み、なんでも館内でやらせた結果、温泉地そのものがさびれてしまった例などとよく似ていますが、まさかそんなこ

とにはならないのでしょうね。

　その他にも飲食店や宿泊できるところがありますが、いずれもサーファーか工事関係者が多いとみましたがどうでしょうか。

　私はたまたま居料理やというお店で昼飯を食べることにしましたが、どうも座りにくいと思っていたら、テーブルが囲炉裏になるみたいで、自転車じゃなかったら本格的に飲み食いしたいところでした。

　鰺のなめろう定食をいただきましたが、健康に感謝ですね。ウイスキーの水割りもいただきましたが、丈夫な肝臓にも感謝ですね。

　というわけで、唐突に長生村取材は終わりました。実際は二三屋という民宿に宿泊予約を入れたのですが、いっぱいだと断られていて、本当にラッキーだったと思いました。

　帰りはひたすら南に走って、上総一ノ宮から帰ってきましたが、宿泊費が浮いたので、地元まで帰り着いてへべれけになるまで飲んでしまったといういきさつは省略。

茨城県稲敷郡美浦村

北緯36度00分16秒　東経140度18分07秒
面積66k㎡　村人13995人　財政力指数0.81

　大洗から苫小牧までフェリーが出ていますが、それに乗る前に茨城県にあるふたつの村を訪れることにしました。霞ヶ浦という大きな湖のほとりにあるのが美浦村で、とりあえず茨城でもっとも有名な牛久大仏を先に見ることにします。

　圏央道をひたすら東に走って行くと、なにやら巨大なものがそそり立っていますが、それが牛久大仏で、それを目当てに車を走らせると田舎道で迷ってしまいました。高くそびえ立っているので目印にすればいい、くらいに考えていたのですが、山陰に入ってしまうと当然ながら見えないのです。

　それでも里山めいた田舎道を見当をつけて走ると、

いきなり目前に大きな大仏様があらわれたのです。その大きさは私の想像をはるかに超越していて、たいがいの事には驚かない私もびっくり。自由の女神ばりに頭の所まで登れるらしいのですが、今回は時間がなくてパス。

　美浦村にはJRAの美浦トレーニングセンターがあって、お金持ちが所有している競走馬がここで訓練されているのですが、いったいどれほどの馬が黒字を出しているのでしょう、他人事ながら気になります。ここでは馬とふれあえたりできるそうなので、興味のあるファミリーはホムペで確認を。

　霞ヶ浦ではジェットスキーやウインドサーフィンなどができますし、水郷筑波サイクリングコースは快適そうです。同じ道が関東ふれあいの道とも名付けられていて、首都圏を一周する長距離自然遊歩道にもなっているらしいので、暇と体力のある人は挑戦してみては如何でしょう。

茨城県那珂郡東海村 (とうかいむら)

北緯36度28分23秒　東経140度33分58秒
面積38k㎡　村人37805人　財政力指数1.41

　東海村は、日本原子力研究開発機構、東海研究開発センター、原子力化学研究所がある所です。私の記憶が正しければ、日本で最初に原子力施設が作られた場所で、バケツで放射性物質を運んで事故を起こしたのもここだったのではないでしょうか。

　それでも過酷事故さえ起きなければ平和なもので、干し芋が名物とお見受けしました。由緒ある大神宮や虚空蔵堂などもありますし、宿泊施設もそれなりにありますから、泊まりがけでも訪問できますが‥‥。

群馬県甘楽郡南牧村

北緯36度09分31秒　東経138度42分41秒
面積118km²　村人1410人　財政力指数0.14

水がうまい。

空気がうまい。

大地の恵みが

これまたうまい。

美し国、旨し国

わくわく、なんもく。

　村の中央を流れる南牧川が刻んだ深い渓谷を、流れ
落ちる様子が象の鼻のように見える落差30メートルの
象ヶ滝、岩肌を一本の線状に35メートル落ちる線ヶ滝、
三段に分かれて50メートルをなだれ落ちる三段の滝た
ちが彩ります。

　冬でも積雪の少ない西上州の山々を歩く、2時間から

5時間を越えるトレッキングコースも魅力で、滝や渓谷美と相まって素晴らしい体験ができるでしょう。

　闇に円を描く炎が夏の風物詩となっている大日方の火とぼし、天体観測ドームから満天の星空が観測できるなんもく村自然公園、道の駅オアシスなんもくなどがあって、訪れる人たちを温かく迎えてくれる南牧村ですが、村長さんはかなり悲観的な観測をしています。

　南牧村は、古くより農林業を中心として大変栄えた村です。主要産物であった蒟蒻と木材価格の低迷が始まった、昭和三十五年頃より急速に過疎化が進み、現在では高齢化率、少子化率共に全国第一位という状況になっています。現在の高齢化率は60%を超えており、過疎の山村として課題は山積しています。

　これは2016年発行の村勢要覧からの抜粋ですが、そもそもこんな古い資料を渡してくれること自体が、古い体制を表しているようなものですね。

群馬県多野郡上野村(うえのむら)

北緯36度04分59秒　東経138度46分38秒
面積181㎢　村人1030人　財政力指数1.01

東京から約2時間。日帰りで行ける大自然!

　と謳っている上野村は、確かに小さなお子さんが一緒だったら楽しめるだろうな、と思える施設がいっぱいです。

　標高700メートルの山あいに、忽然と現れるのは真っ白な吊り橋。

　高さ90メートルのところに架けられた225メートルのスカイブリッジは天空回廊と呼ばれ、なぜか30分ごとにシャボン玉に包まれるらしい。

　「まほーばの森」には、木から木へと伝い歩く空中遊泳やジップラインがあり、山小屋風コテージやグランピング施設まで整っているので、お泊まりで満天の星

252

空を眺めるのも悪くない。

　もう一方の川和自然公園には、全長2キロを越えて関東最大級の規模を誇る鍾乳洞の不二洞があり、さまざまな石筍や石柱などがライトアップされて迫力がある、らしい。

　そのほかにも日帰りや宿泊で温泉が楽しめるところがあります、なんて観光課の人に聞いている内に、財政力指数が1を越えているという話になったのです。

　それは神流川上流に上野ダムがあるからですということで地図を見ると、なんと御巣鷹の尾根が近くにあるではないですか。

　私は、この上野村が日航機墜落のあの上野村だとは思っていなかったので、今更のように己のうかつさを思い知らされました。

長野県南佐久郡北相木村

きたあいきむら

北緯36度03分33秒　東経138度33分04秒
面積56km²　村人698人　財政力指数0.15

　群馬県から長野県に入ってきましたが、今回は娘の
車での取材なのです。車だけ借りようとしたら、ドラ
イブ好きの娘が一緒に行くとなり、息子までついてく
るといった案配になりました。

　それというのも八ヶ岳には我が立川市の山荘があり、
子どもたちが小さい頃は避暑やウインタースポーツな
どでよく利用していたことがあったからです。

　というわけで北相木村に入りましたが、ここでの一
番の見所は栃原遺跡でしょうか。

　今からおよそ13万〜1万年前の後期更新世、八ヶ岳
の硫黄岳付近が崩壊し、水分を含んだ土砂や火山砕物
が多量に流れ出しました。その高い崖には、相木川の

流れが削った小さな洞窟状の地形がいくつもあり、その中で住居として利用されたのが栃原岩陰遺跡です。

　ここでは、およそ11,000年前から人が住み始めましたが、遺跡に残された多量の灰などにより、人や動物の骨が腐らずに保存されていました。発掘された12体の人骨のうち、およそ9,500年前の北相木人1号や4号はほぼ完全な形で残されており、顔を備えた縄文人骨としては最古級のものです。

　そんな太古のロマンに触れられるのが、北相木考古博物館で、出土品や北相木人の復顔なども見られます。

　夏のキャンプや山歩きなどもできますが、厳冬期の見所としては、高さ30メートルの松かさ状に凍結する大禅の滝でしょう。**コバルトブルーの氷柱は自然が織りなす一大芸術作品**、とパンフレットに写真付きで載っていますが、地球温暖化が叫ばれている昨今、いつまで凍結してくれるでしょうか。

長野県南佐久郡南相木村（みなみあいきむら）

北緯36度02分10秒　東経138度32分49秒
面積66㎢　村人911人　財政力指数0.94

　もうここら辺まで本書を読み進んでくると、通っぽい読み解き方をする人もいるはずで、その最たるものが財政力指数への着目でしょうか。

　他の本は知らず、この本では村役場写真を載せることと、その緯度経度、面積と人口の他にもう一つの指標として財政力指数を必ず掲載することにこだわりました。それは財政の規模はさまざまですが、村の収入の何割を自前でまかなっているかについては、ある程度公平な評価が下せると思うからです。

　そしてここ南相木村の財政力指数が0.94もあることに着眼した人は、とても偉いのです。人口が千人を割り込むような村で、ほとんどの収支を補助金なしにや

りくりするには、何かからくりがあるはずで、その打ち出の小槌が大規模なダムとしては日本一標高の高い場所にある南相木ダムなのです。

　高さ136メートル、幅444メートルもあるダムは、岩石や土砂を積み上げて造成されたロックフィルダムで、湖面の反対側がとてもなだらかになっているのが特徴的ですが、あれは絶対に崩れないようにはなっているのでしょうね。

　ここから流れる南相木川にはいくつもの滝があって、それぞれに素晴らしい景色を醸し出しているのですが、「犬ころの滝」というのは差別用語には当たらないのでしょうか。

　この村の特徴として、**子育てに関する居住や生活環境を重点的に整備することにより、健やかに育った次代に願いを託す子どもたちの笑顔と元気な声があふれ、親が安心して子育てできる村を目指し**、ていることです。

　これらの施策はどこの村でもやっていることでしょうが、南相木村では力の入れ方がなかなかで、**第三子以降の保育料の完全無料化や、チャイルドシート購入費の一部補助、小・中学校卒業祝い金、小学6年生全員のオーストラリア研修（空港での飲食代のみ個人負担）、通学費の補助や奨学金等返済支援制度**、などが充実しています。

　当然ながら居住や就業などにも補助金が手厚く出る

ので、これから子育てや出産を計画しているファミリー
は、築150年の古民家を改修した『たまる家』でお試
し移住をしてみたらいかがでしょうか。ただし冬の寒
さは相当厳しいらしいので、寒さにはめっぽう強い家
族限定にはなるかも知れません。

長野県南佐久郡南牧村
（みなみまきむら）
北緯36度01分15秒　東経138度29分32秒
面積133㎢　村人3331人　財政力指数0.26

　数ページ先にも群馬県で同じ字の村が出ていますが、
あちらはなんもくむらで、こちらはみなみまきむらと
読むのです。
　三つ並んだmの左肩に星が瞬き、頭には八ヶ岳をか
ぶっているデザインがトレードマークの南牧村での売
りは、なんといっても八ヶ岳山麓の高原である立地を

生かした星空観賞でしょう。

　天文学者が選ぶきれいな星空ベスト3のひとつである野辺山高原は、標高が高くて空気が澄み、市街地などの光の影響を受けないので、冬期には日本で見ることのできる79星座のすべてを観測することができるのです。

　開拓記念碑やふれあい公園の芝生に寝そべって、飽きるまで流星ウオッチをするのもよいでしょうが、天空に一番近い列車に乗車しても星空は楽しめます。

　半球形のドームで夜空の映像が写される夜の観光列車「HIGH RAIL星空」は、野辺山駅での停車時間中（約50分）に、星空案内人による星空観察会があるので、大人も子どもも楽しみながらの勉強ができます。

　飯盛山へのトレッキングや、八ヶ岳連峰への本格的な登山もいいですが、もっと手軽に楽しめるのがサイクリングです。野辺山観光案内所でレンタサイクルを借りて高原を駆け抜ければ、気分はすっかりハイカラさん、きっと素晴らしい命の洗濯になることでしょう。

　山道に挑戦するなら電動アシスト自転車がよいのですが、どちらにも貸し出し台数に限りがあるので、出払っていたらメイちゃん気分でどこまでも歩きましょう。

長野県南佐久郡川上村（かわかみむら）

北緯35度58分32秒　東経138度34分42秒
面積209㎢　村人4558人　財政力指数0.24

春　一面に咲く淡い紅色が緑風に揺れる
　　（十文字峠のシャクナゲ群生）

夏　澄んだ水の音が心を癒やし乾きを潤す（金峰渓谷）

秋　清流と山々を包む黄葉は秋の風物詩　（カラマツ）

冬　静寂の中に幻想的な表情を覗かせる
　　（金峰山の霧氷）

　こんな名文句の入ったパンフレットをくれた川上村役場は、役場や役所の所在地としては日本で最も高い、標高1185メートルの高原にあります。レタス生産で有名ですが、一面にひろがるレタス畑は圧巻です。

　千曲川、笛吹川、荒川の源流となる甲武信ヶ岳があるくらいですから、見事な山容を見せる山々に囲まれ

260

た高原地帯で、登山ルートもいくつもあって選ぶのに困るほどですが、それよりもっと素晴らしいのはボルダリング＆ルートクライミングです。

金峰山荘と廻り目平キャンプ場をぐるりと取り囲むように大小さまざまな形の岩が露出していて、途中の岩山をボルダリングやクライミングで制覇しながら次へと進むアプローチルートがいくつも用意されています。

これらの中にはベテランじゃなきゃ踏破できないような高難度の岩場から、子どもやビギナーでも登れるファンタジー岩やクジラ岩まで点在していますから、ファミリーで出かけても楽しいでしょう。

おがわやま廻り目平スペシャルMAPによれば、ほとんどの岩山には名前が付けられていて、その中から面白そうなネーミングを書き出してみました。

きたない大岩、おむすび山スラブ、カモシカサイドロック、ペルセウス座流星群、火星岩、ゴジラ岩、フェニックスの大岩、吸血鬼の城、デビルズタワー、石の塊、不可能スラブなどがありますが、妹岩の横にあるマラ岩って、やっぱり「アレ」のことなんでしょうね。

長野県諏訪郡原村

北緯35度57分52秒　東経138度13分03秒
面積43㎢　村人7730人　財政力指数0.38

　原村といえばペンション村として有名ですが、それ
もそのはずで、ここは日本のペンション村発祥の地だ
そうです。

　それにしてもペンションの多さは驚愕もので、それ
らがいわゆる分譲地みたいな区画に密集しているのが
大きな特色です。

　知らない人は、そんな大げさな、とも思うでしょう
が、第一ペンションビレッジに15棟、第二ペンション
ビレッジには32棟があり、それらがそれこそ軒を接す
るように（これは単なる比喩であって、土地がゆった
りしているから軒が当たるほどではない）隣り合って
立ち並んでいるさまは、むしろ壮観と言った方がよい

かも知れません。

　そのほかにも20弱の宿泊施設が点在しているし、体験工房やらアクティビティ、飲食店やお土産屋さんが目白押し（ちょっと大げさかも）とくれば、そんなにお客さんが行くのだろうかと心配になってしまいますが、ちゃんと経営しているのだから、それなりの数のゲストは訪れるのでしょう。

　とここで、それらの内からいくつかをピックアップして紹介しようとしましたが、考え直しました。

　だっていっぱいある施設の内から選び出すこと自体が不遜だし、紹介したお店だけに人が行って、あとの店は閑古鳥なんてなったら困るもの。まあそんなに絶大な影響力を及ぼすほど、この本がいっぱい売れるなんて保証はどこにもないのですが‥‥。

あとがき

　ようやくにして、前編部分は書き終えました。108を数える村々の情報と役場写真がこの本の中に詰まっているわけで、我ながら頑張ったと思います。

　それにしても考えるのは、読者の皆さんがこの本をどんな風に読んでくれているのかということです。今までにないジャンルの本ですから、どんな風に読んでもらってもよいのですが、皆さんの期待に応えられたかどうかが心配なのです。

　冒頭から飛ばさずに最後まで読んでくれた人には、個人的に感謝状を出したいくらいですし、ご自分の出身地から読み始める人もいることでしょう。文体が軽いとか、分量のバランスがとれていないとかの批判もあるでしょうし、ここでは紹介し尽くせない魅力もいっぱいあるとは思います。

　そんな風に不完全ながらも日本の村の全部を紹介したいとの思いの源泉は、とにかく自分の都府県内にある村の存在を知ってもらい、とりあえずおらが村を訪ねて欲しいからです。行ってみればきっと、ご自分独自の魅力なり見所なりが見つかるはずで、そんなきっかけになれるとしたら望外のよろこびです。

　不完全ついでに補足しますと、おらが村との関わり合いは、あまり濃密じゃない方がいいかもしれません。

これまでは村を訪れるには、何らかの目的が必要でした。例えばその村にしかないものを体験したり買い求めたり、あるいは思い切って移住したり、多少の濃淡はあっても、何らかの目的があって訪れたのではないかと思うのです。

私が推奨するのは、ただなんとなくぶらっと訪問して、当てもなく歩き回って帰ってくるだけのことですが、そこに出会いがあればさらに素晴らしい一日になるでしょう。

反対に村側の対応ですが、縁側のある家では「縁側お接待」の看板かのぼりを出して、訪問者にお茶をごちそうするのです。つまみは古漬けか自家産の果物程度で十分、お話をしてまたいらっしゃいで別れるのですが、これを日本の全村で祝日休日に展開します。縁側のある家の全部がこのお接待をすれば、途方もない数のお家が町からの訪問客を待つことになって、素晴らしいじゃありませんか。

もちろん縁側がないお家でも、工夫次第ではお接待は可能であって、祝日休日には日本183村のどこを訪れてもお茶と漬物の接待が受けられるのであれば、わざわざゴミゴミした有名観光地に行かなくてもいいわけであって、オーバーツーリズムの解消にも一役買うわけです。

日本人は親切にされると、何かお返しをしなければ

という気になる人種ですから、お礼はしてもいいでしょうが、それは心付け程度で十分だと思います。だって村人もまた、お接待するのが嬉しいのでしょうから。

いわば村人と町人の緩やかなつながりですが、子どもも大人も楽しいはずなのは、最初から目的が決まっていないからで、お付き合いの中でそれぞれが発見していけばよいだけのことです。

これは半分以上の村めぐりをしてきた旅好家としての提案ですから、全村が一斉に「縁側お接待」をしなければならないというわけではありませんが、今のままではじり貧となるのは明らかで、そのための一つの方策です。

つまり住民数を増やすことが村営維持には一番必要だとの思い込みから脱却して、昼間人口が増えるだけでもいいんじゃないかとの発想の転換です。

何の関連もない村を訪れても、それなりの発見があるはずだと自信を持って断言できるのは、村の存在自体が貴重だからです。平成の大合併の波にあらがい、今でも小さな自治体として村があることが奇跡に近いことであって、そんな素晴らしい村を訪問しないのはもったいないです。

村に行ってどうするのか、それは皆さん自身が決めることであって、私にはとやかく言う資格はありませんが、きっと新鮮で心温まるような出会いがそこにあ

ることだけは保証します。

　最後に編集方針によって県単位で村を集約してしまった結果として、必ずしも行程通りの配置にならず、読者も私と一緒に村めぐりをしているような気分になって欲しいとの願いを込めた文章が分裂気味になってしまったことは、まことに心苦しく、心よりおわびを申し上げます。

　日本183村をめぐる取材旅行も、あとは群馬、長野、岐阜と四国九州、それに首都圏の村を残すのみで、寿命と体力があれば全村を踏破してみたいものです。後編が出せることを願いつつ、とりあえずごきげんよう。

　　　　　　　　　　　　　　　　前編おわり

◆著者略歴（仮）

川合 宣雄（かわい のりお）

海外国内を問わず、自由に旅する旅好家にして小説家。
昭和22年、戦後混乱期のまっただ中に生まれた典型的な団塊人種。アルバイトでお金を貯めては海外を放浪のように旅することが多く、世界60カ国以上に足跡を印す。ガイドブックや海外トラブルに関する著作は多い。
著書に『少林寺拳法有段者の小説家が「女性向け護身術」に噛みつく』『みすゞのわかれ童謡（うた）』（ごま書房新社）、『中国超級旅游術』『モンゴル悠游旅行術』『シニア向け海外旅行リスクヘッジ術』（第三書館）などがある。

 旅好家とめぐる日本183村　前編

2024年2月3日　初版第1刷発行

著　者	川合 宣雄
発行者	池田 雅行
発行所	株式会社 ごま書房新社
	〒167-0051
	東京都杉並区荻窪4-32-3
	AKオギクボビル201
	TEL 03-6910-0481（代）
	FAX 03-6910-0482
カバーデザイン	（株）オセロ 大谷 治之
DTP	海谷 千加子
印刷・製本	精文堂印刷株式会社

ごま書房新社のホームページ
https://gomashobo.com
※または、「ごま書房新社」で検索